Chère lectrice,

Lundi matin, une voisine a sonné à ma porte. Elle était accompagnée de sa petite fille, une jolie petite coquine tout sourires qui tenait à la main un brin de muguet : « Pour toi », m'a-t-elle dit en me tendant la fleur de sa main potelée. Cet instant ensoleillé a accompagné toute ma journée... Sans doute avez-vous reçu, vous aussi, quelques-unes de ces clochettes dont l'éclosion marque le retour du mois de mai. A travers elles, ce sont de très, très anciennes traditions qui arrivent jusqu'à nous. Car, de mémoire de marin grec, dès l'Antiquité le mois de mai a été fêté : mois du renouveau, des promesses de bonheur, il marquait le moment où les navigateurs reprenaient la mer. Le Moyen Age en fit le mois des « accordailles ». C'est là que nous retrouvons le muguet — car l'amoureux en accrochait à la porte de sa bien-aimée. Ainsi s'installa la tradition, encore prisée de nos jours, d'offrir de ces fleurs odorantes à ceux que l'on aime pour nous souhaiter du bonheur ensemble... Et comme il ne m'était pas possible de vous en envoyer, chère lectrice, je vous en ai raconté l'histoire !

La responsable de collection

Au nom de la passion

PEG SUTHERLAND

Au nom de la passion

éMOTIONS

*éditions*Harlequin

Cet ouvrage a été publié en langue anglaise
sous le titre :
THE LYON LEGACY : FAMILY REUNION

Traduction française de
ALEXANDRA TEISSIER

HARLEQUIN®

est une marque déposée du Groupe Harlequin
et Émotions® est une marque déposée d'Harlequin S.A.

Photos de couverture
Couple : © ROYALTY FREE / CORBIS
Paysage : © BOTANICA / AGENCEIMAGES

© 1999, Peg Robarchek. © 2006, Traduction française : Harlequin S.A.
83-85, boulevard Vincent-Auriol, 75013 PARIS — Tél. : 01 42 16 63 63
Service Lectrices — Tél. : 01 45 82 47 47
ISBN 2-280-07971-2 — ISSN 1768-773X

Prologue

31 mars 1997

Les quelque cinquante journalistes et reporters postés devant le palais de justice de La Nouvelle-Orléans avaient les crocs. Scott Lyon n'aurait pu mieux décrire ses collègues — une horde aux aguets, fin prête à la mise à mort.

Mal à l'aise dans la tension ambiante, Scott changea sa caméra d'épaule pour promener le regard autour de lui. En un sens, il était directement impliqué dans cette traque. Et d'insidieux scrupules le tourmentaient vis-à-vis de la proie.

Madame la juge Nicolette Bechet.

La juge Bechet venait de rendre une décision controversée dans une affaire d'agression sur mineurs. Depuis des semaines, une série d'allégations sans preuve formelle, portées contre un homme politique local populaire, tenaient la ville en haleine. La sentence de prison ferme, décrétée à l'issue du procès, avait concentré l'intérêt des médias sur la personne de la juge ; car cette affaire venait s'ajouter à la divulgation dans ces mêmes médias, peu de temps auparavant, de problèmes d'ordre privé la concernant.

La suite des événements ne faisait aucun doute. D'ici peu, la juge serait sous le feu des projecteurs, cuisinée par les reporters, puis passée sur le gril au journal télévisé du soir, avant d'être jetée en pâture à la curiosité publique, dès demain, à la une des quotidiens. Procédure opérationnelle ordinaire, songea Scott. Pas de quoi s'offusquer.

Cependant, sa mémoire s'obstinait à lui représenter le regard paniqué de la juge Nicolette Bechet, enregistré par sa caméra. Il leva les yeux vers une fenêtre du premier étage de l'auguste bâtisse abritant le palais de justice.

Le cabinet de la juge...

Il se revit faisant irruption dans cette pièce avec la journaliste vedette de WDIX-TV, R. Bailey Ripken, deux jours à peine après le décès par overdose du père de Nicolette Bechet, pour exiger des réponses à des questions qu'ils n'étaient pas en droit de poser. Du jour où l'histoire avait été révélée à l'antenne, la juge avait subi un siège en règle... Et Scott n'était pas très fier du rôle qu'il avait joué dans l'étalage des secrets de famille de la jeune femme.

On s'agitait autour de lui. Au fil des minutes, la nervosité gagnait la horde, de plus en plus bruyante, de plus en plus convaincue de son droit de savoir.

Cette caméra pesait une tonne. D'un geste brusque, Scott l'ôta de son épaule.

— Qu'est-ce que tu fais ? s'exclama R. Bailey Ripken.

« R pour Ramona », lui avait confié la journaliste

dès sa première semaine de travail. C'était pourtant un secret jalousement gardé dans le milieu. Scott avait le don d'inspirer confiance, surtout aux femmes.

— J'ai besoin d'un arrêt au stand, répliqua-t-il.

C'était un mensonge. Un prétexte comme un autre. Car une impulsion aussi violente que mystérieuse, et qu'il s'expliquait mal, le poussait à s'extraire de ce troupeau d'enragés.

— Maintenant ? Tu plaisantes ! Elle va sortir d'une seconde à l'autre…

— Je me dépêche.

— Scott !

Il jouait déjà des coudes, tenté de se débarrasser de cette caméra si coûteuse qui freinait son élan. L'incrédulité perçait dans la voix de Bailey, mais au fond qu'avait-il à craindre d'elle ? Que risquait-il ? Sa place au sein de la chaîne ? Un sourire sans joie flotta sur ses lèvres. Les liens familiaux présentaient donc certains avantages.

En habitué des lieux, il évita la porte principale, de crainte d'avoir aussitôt la horde entière sur ses talons, et opta pour une autre donnant sur l'arrière du bâtiment. Les semelles de ses tennis crissèrent sur le marbre patiné du double escalier majestueux. Lorsqu'il atteignit le premier étage, son cœur battait la chamade.

Les règles du métier, il les connaissait par cœur. Or, cette initiative les transgressait. Ce coup-ci, le nom de famille inscrit sur sa carte de journaliste ne suffirait peut-être pas à le sauver

Encore une fois, quelle importance ? songea-t-il.

Il s'orienta sans difficulté parmi le dédale des couloirs menant aux cabinets des juges. Bureau 201. Une porte de chêne sombre, immense, imposante, se dressa devant lui. Il s'aperçut que ses doigts serraient convulsivement la caméra... Que lui arrivait-il, soudain ? Pourquoi cette réaction épidermique, le poussant à saboter son propre travail ? C'étaient peut-être les prémices d'une lassitude. D'un ennui profond, voire d'un certain dégoût pour son métier. A moins que...

Un instinct primaire, trancha Scott. Le mâle volant au secours de la femelle qu'il souhaite impressionner. C'était sans doute aussi simple que cela.

Alors, il entra sans frapper et referma la porte avec soin derrière lui.

Assise à son bureau, la juge Nicolette Bechet ne tressaillit même pas. Ses yeux bleus affûtés se braquèrent sur la caméra de Scott.

— Partez, dit-elle. Immédiatement.

Au tribunal, son style concis, dénué de fioritures, en intimidait plus d'un. Scott ne se démonta pas pour si peu. L'artifice ne lui était pas inconnu ; sa tante Margaret — dite la Reine de Fer — l'utilisait couramment.

— Regardez par la fenêtre, répliqua-t-il.

La jeune femme prit une brève inspiration.

— Vous passez les bornes, monsieur Lyon.

— Je sais. Et j'insiste : regardez par la fenêtre, madame la juge.

Le regard perçant ne dévia pas. Une fossette fendait le menton fièrement pointé, nimbant le visage d'une aura de force. Ses cheveux avaient la teinte du miel, méchés par le soleil et négligemment dégagés autour de ses traits effilés.

Une beauté ? Peut-être pas. Néanmoins, Scott n'avait pu effacer cette jeune femme de son esprit depuis l'in-

10

terview — ou plutôt l'interrogatoire de Bailey, filmé par ses soins. Le sang-froid apparent de Nicolette Bechet ne camouflait qu'en partie son regard hanté, qui n'était pas simplement celui d'une fille éplorée après la mort de son père. On y devinait une blessure beaucoup plus profonde…

Son refus de répondre à certaines questions indiscrètes durant l'interview comme au cours des jours suivants, en dépit de la ténacité des reporters de La Nouvelle-Orléans, avait confirmé l'intuition de Scott : la famille Bechet avait des secrets.

De très vieux secrets.

— Je pourrais facilement vous faire jeter dehors par deux vigiles, déclara-t-elle avec aplomb, de sa diction ferme et précise, dépourvue des langueurs de ses racines cajuns.

— Et ensuite, qui les éloignera, *eux* ? rétorqua Scott.

Pour la première fois, Nicolette Bechet parut voir en lui un être humain et non une caméra montée sur deux jambes. Leurs yeux s'accrochèrent. La lueur de défi qui brillait dans ceux de la juge vacilla bientôt. De son côté, Scott prit conscience, une nouvelle fois, des battements effrénés de son propre cœur. Ce n'était pas seulement qu'il trahissait ses collègues en prévenant Nicolette Bechet de l'embuscade tendue au-dehors. C'était… autre chose.

Cette fille l'obsédait.

— « Eux » ? releva-t-elle.

D'un signe de tête, Scott lui indiqua la fenêtre.

La juge se leva sans hâte. Elle portait encore son habit noir de magistrate, sur un chemiser de soie gris souris boutonné jusqu'au col. En dessous, une jupe noire, coupée sagement sous le genou, nota Scott lorsque Nicolette Bechet s'éloigna vers la fenêtre. Les mollets étaient joliment galbés, même avec ces mocassins plats, et les chevilles fines...

Mais c'étaient ses yeux qui aimantaient Scott. Deux sentinelles opiniâtres, à la clarté trompeuse, qui ne laissaient transparaître son âme qu'à la faveur des trop rares instants où elle baissait la garde.

Un bref regard au-dehors suffit à renseigner la jeune femme.

— Je vois, dit-elle, très raide, avant de se retourner. Et vous êtes venu jusqu'ici pour... ?

— J'ai pensé que vous n'aimeriez pas tomber entre leurs griffes.

La juge esquissa un sourire cynique.

— En échange de quoi... ?

Comment lui en vouloir de se méfier autant ? songea Scott. Il n'était après tout qu'un journaliste caméraman de télévision.

— Passez par la porte donnant sur la ruelle, dit-il. Il n'y a personne, là. Vous rejoindrez votre voiture sans souci.

Elle le dévisagea un instant. Puis, avec la plus grande prudence, elle retira son habit noir, le plia avec soin et le posa sur le dossier de son fauteuil. Après avoir enfilé une veste épaulée assortie à la jupe, elle saisit sa mallette et se dirigea vers la porte.

Scott n'avait pas bougé.

— Cela ne vous apporte rien, dit-elle. Ni scoop ni exclusivité, rien !

Sa lèvre supérieure était délicatement ourlée. Joli

12

contraste avec le renflement pulpeux et satiné de la lèvre inférieure… Hélas ! on devinait que c'était une femme qui ne perdait pas son temps à se laisser embrasser.

— Je n'attends rien, lâcha Scott d'un ton bourru.

Elle parut sceptique, mais ne chercha pas à le contredire. Sans un mot, elle tourna les talons et s'éloigna dans le hall.

Tenté un instant de la suivre, Scott se ravisa. Rien ne saurait justifier une telle initiative. Nicolette Bechet ne voulait pas de sa protection. De quel droit la lui offrirait-il ?

A la place, il rejoignit ses collègues journalistes et fit le pied de grue avec eux jusqu'au moment où quelqu'un eut vent de l'échappée belle de la juge. Il retint un sourire en entendant R. Bailey Ripken se joindre à la litanie d'insanités que proféra la troupe frustrée.

Ce sujet-là ne passerait pas aux infos du soir.

Le lendemain, toutefois, il en alla autrement. Dans le cadre d'une conférence de presse tenue vers la fin de l'après-midi, il fut annoncé que la juge Bechet avait donné sa démission. Et que, non, elle n'était pas disponible pour répondre aux questions.

Aux dernières nouvelles, son appartement en ville était vacant.

1.

Bayou Sans Fin, novembre 1999

— *Silence ! Tout de suite !*

L'injonction de l'acariâtre perroquet se perdit dans le chahut régnant, comme chaque matin autour de la table du petit déjeuner, à la ferme de Cachette en Bayou.

Les cousins Tony et Toni retouchaient à la guitare un riff d'un morceau en cours d'écriture pour leur groupe de zydeco ; la fille de Beau réclamait de l'attention en usant de la technique imparable des bébés de six mois ; le chien Milo quémandait un biscuit en geignant de plus en plus fort et la nouvelle petite amie de Michel lui faisait écho, pour se plaindre de sa mise en plis...

Quant à Jimmy, douze ans tout rond, il s'exerçait à faire des passes avec son ballon au ras des têtes, droit sur les six chats qui ne se doutaient de rien.

Nicki soupira.

— *Taisez-vous !* s'égosilla Perdu.

Très agité, l'oiseau sautillait sur l'épaule de Maman Riva. Ses simagrées ne serviraient à rien. La famille

15

Bechet était semblable à un train lancé à vive allure et dépourvu de freins.

— Cette semaine, nous attaquons les réparations du réseau électrique, annonça tranquillement Nicki en plongeant sa cuiller dans son pamplemousse rose.

— Celle-là, c'est de la bombe ! cria Jimmy. Chaud devant !

Ce garçon n'était *pas* destiné à propulser des ballons de foot par-dessus la table au petit déjeuner. La famille, de son côté, était normale, équilibrée, pourvue d'une saine éducation... Mais à peine franchie la porte de Cachette en Bayou, un gène de folie semblait refaire surface ; et ces gens-là aussi partaient en vrille.

Nicki avala une bouchée de pamplemousse et poursuivit :

— Cela signifie que nous n'aurons plus de lumière, ni de réfrigérateur, ni d'eau chaude... Ni de climatisation.

Personne ne lui prêta la moindre attention. La jeune femme songea, désabusée, à l'époque où elle siégeait à la cour. Le public se levait, attentif et respectueux, dès que Mme la juge Nicolette Bechet prenait la parole. Un temps à jamais révolu.

— Cela durera une semaine, peut-être davantage.

Toujours pas de réaction. Pourtant tous les convives, sans exception, après quelques heures sans électricité, viendraient lui reprocher de leur avoir imposé cette épreuve sans les prévenir.

— Je n'arrive pas à le croire ! s'écria soudain Maman Riva.

Elle secoua la tête, brossant le bec de Perdu d'une

mèche blanche échappée de son turban de cachemire violet.

— Des mois qu'elle a disparu... et personne n'en parle ! C'est impensable. Un vrai scandale !

— *La ferme !* intima Perdu d'un cri strident.

Riva Reynard Bechet agita sa serviette sous le bec de l'oiseau.

— Où as-tu appris à parler sur ce ton aux aînés, vilain garçon ? La ferme *toi-même*, compris ?

Elle laissa discrètement tomber un biscuit tout chaud près du museau gris et brun du chien, et soupira :

— Quand on vieillit, plus personne ne vous prête attention, pas vrai, Milo ? Voilà le problème. Je tiens ma famille à bout de bras, les autres s'en moquent. Cette femme disparaît, qui s'en soucie ?

Suivant son habitude, Riva ressassait la disparition de Margaret Lyon, matriarche révérée du clan des Lyon de La Nouvelle-Orléans. Chaque matin depuis que le *Times-Picayune* avait révélé l'histoire, un mois plus tôt, Riva se jetait avec avidité sur les derniers développements. Les Lyon exerçaient sur elle, semblait-il, une sorte de fascination, à la manière des membres d'une famille royale.

Certes, ces gens se comportaient souvent comme tels, songea Nicki. Mais que sa propre grand-mère s'y laisse prendre... Cela la chagrinait. Riva aurait-elle donc oublié que c'étaient les Lyon et leur chaîne de télévision qui avaient sali le nom des Bechet et ruiné sa carrière de magistrate ?

Nicki, elle, en gardait le souvenir gravé au fer rouge dans sa mémoire.

— Maman, tu devrais séjourner en ville, chez James

et Cheryl, pendant la durée des travaux, déclara-t-elle au lieu de livrer le fond de ses pensées.

— Toi, tu cherches à me chasser de ma ferme, répliqua Riva sans même lever les yeux de son journal. Regarde ça, ces gredins de Lyon intentent une pacotille en justice, maintenant ! Ils essaient de lui voler sa chaîne de télévision. Doux Jésus ! qu'il est donc périlleux de vieillir...

Une pacotille en justice. Sa grand-mère parlait sans doute d'une mise en demeure ? Quand cela lui chantait, elle usait à dessein d'expressions cajuns obscures pour le reste du monde. La langue bien affilée, Riva régentait la famille Bechet depuis toujours avec des manières de despote bienveillant. Face à elle, Papa Linc Bechet ne faisait pas le poids, à l'époque, et même aujourd'hui ses deux enfants encore en vie, Simone et James, tante et oncle de Nicki, ne parvenaient jamais à la faire revenir sur ses décisions. Ces derniers s'évertuaient en vain de la convaincre d'emménager en ville, de vendre la vieille ferme ou pire, de leur en confier la gestion... Chaque fois, Riva se réfugiait dans le dialecte de ses ancêtres et les considérait d'un œil vide du haut de ses quatre-vingt-quatre ans, comme si, de sa vie, elle n'avait jamais entendu un traître mot d'anglais.

Depuis des mois, Nicki se heurtait à la même fin de non recevoir dès qu'elle tentait à son tour d'aiguiller la conversation sur Cachette en Bayou. Alors que la bâtisse tombait en ruine, sa grand-mère ne voulait pas entendre parler de réparations. Quant à vendre, l'hypothèse semblait exclue d'emblée. Les choses devaient demeurer en l'état, quoi qu'il arrive. Telle était du moins la conclusion à laquelle était parvenue Nicki.

Maman Riva éludant le sujet avec obstination, il était malaisé, sinon impossible, de discerner ses motivations exactes.

La jeune femme tenta néanmoins sa chance une nouvelle fois.

— Il faut que nous parlions de cette maison, Maman. Durant la semaine qui vient, elle sera très inconfortable. Tu devrais...

Nicki fut interrompue par un ballon de football qui atterrit droit dans le bol de faïence contenant le fromage râpé. Cris d'effroi et gémissements mêlés de rires s'élevèrent contre le futur arrière professionnel, qui n'était pour le moment qu'un préadolescent maigrichon.

— Qu'est-ce que tu fiches ici, au lieu d'être à l'école ? s'exclama Beau.

— Ils ne veulent pas de lui, je parie ! renchérit Tony.

D'un signe péremptoire de la main, Riva coupa court aux commentaires.

— Fichez la paix à mon Jimbo ! Viens ici, toi. Viens donner à une vieille dame un peu de ton énergie pétulante...

Jimmy, penaud, se blottit contre sa grand-mère. S'il logeait ces temps-ci à la ferme, se dit Nicki, c'était sans doute que sa mère était de nouveau victime d'une de ses fameuses migraines. Ou plutôt d'un excès de bourbon...

Bien sûr, elle garda pour elle, comme tous les autres Bechet, ses soupçons sur la très mondaine épouse de son oncle James. A la décharge de la malheureuse, cette famille à elle seule risquait à tout moment de provoquer des maux de tête carabinés.

Nicki reprit son élan.

— Maman… Justement, en allant dormir chez James durant quelques jours, tu pourrais lui donner un coup de main en attendant que Cheryl soit rétablie. Jimmy ne manquerait plus l'école et…

— Tu dois retrouver Mme Lyon, coupa Riva.

Nicki serra les dents.

— Maman, les Lyon n'ont nul besoin de mon aide pour trouver qui que ce soit.

— Oh que si !

— En outre, je n'ai aucune envie de les aider.

Le travail bénévole d'enquêtrice qu'effectuait Nicki, le plus souvent pour le compte d'enfants adoptés désireux de retrouver leurs parents biologiques, lui était cher. Son expérience personnelle lui avait en effet appris la souffrance que laissait dans la chair un abandon précoce…

En revanche, elle n'était assurément pas prête à s'investir pour des gens richissimes et puissants comme les Lyon, dont le seul souci était le profit, et qui n'hésitaient pas à écraser ceux qui se trouvaient sur leur route. Ils dévastaient des existences.

Riva joignit les mains sur le journal qu'elle venait de plier avec soin.

— Bien ! Donc, c'est décidé.

— Non, ce n'est pas décidé !

Au silence qui suivit, Nicki comprit qu'elle avait haussé le ton — une initiative mal avisée, face à Maman Riva. Elle fit donc un effort pour opposer calmement à sa grand-mère des arguments rationnels.

— Maman, j'ai du travail qui m'attend ici, à la ferme. Les rénovations…

20

— Inutiles, trancha Riva en secouant la tête.

— Indispensables, au contraire ! A moins que tu veuilles que ce toit s'effondre sur ta tête ?

Riva regarda autour d'elle, faisant mine de soupeser cette éventualité.

— Les garçons ont leur cabanon, marmonna-t-elle, Simone et John sont installés, désormais, James et Cheryl possèdent une grande maison ravissante...

Elle haussa les épaules et ajouta :

— Quant à toi, si tu n'avais nulle part où aller, tu trouverais bien un compagnon... Moi, je suis vieille. Si le toit me tombe dessus, j'irai au paradis. Avoue que c'est plus attirant que ce monde cruel, où les dames âgées disparaissent sans que quiconque s'en soucie.

Riva tapota le bras de Nicki en lui décochant un sourire irrésistible de son cru.

— Tu vas les aider à trouver Margaret Lyon. Gentille petite...

— Ils ne m'ont pas demandé mon aide !

— Alors, c'est à toi de la leur proposer.

Nicki dévisagea sa grand-mère.

Riva semblait avoir bel et bien effacé de sa mémoire les événements bouleversants subis par les Bechet deux ans plus tôt. Nicki, elle, rêvait d'apprendre un jour que toute la famille Lyon était condamnée à l'enfer à perpétuité, sans espoir de remise de peine.

— J'ai trop de projets en cours. Je...

— Tu fais des prouesses pour ces gens, coupa Riva sans se départir de son sourire. Tu en feras aussi pour les Lyon.

Des crachotements de moteur interrompirent cette

conversation à point nommé. Les premiers ouvriers arrivaient. Nicki se leva.

— Je te laisse. Le travail m'appelle.

Sa grand-mère l'imita et entreprit d'empiler les assiettes vides.

— Tu vas appeler les Lyon, dit-elle. Pour me faire plaisir.

Nicki s'éloigna sans piper mot. Elle était habituée au chantage affectif de la part de Riva. Que celle-ci s'imagine donc avoir gain de cause !

Des tâches plus sérieuses réclamaient l'attention de sa petite-fille.

Bras croisés, Scott Lyon s'adossa au mur de la salle de conférence le plus proche de la porte et posa un pied sur une chaise vide.

Décidément, il ferait mieux de démissionner. De quitter cette chaîne de télévision — et sa famille aussi, par la même occasion.

Les conférences de rédaction à WDIX-TV l'excédaient davantage de jour en jour. Destinées en principe à choisir la ligne éditoriale du jour puis à organiser la collecte de l'information, elles présentaient ces temps-ci une fâcheuse tendance à se déliter en querelles incessantes et en petits jeux de pouvoir, chacun jouant des coudes pour s'imposer. Une sale habitude, dans la famille Lyon. Scott n'avait jamais pu s'y habituer. Lorsqu'il était enfant, son propre père ronchonnait sans cesse qu'on l'avait injustement spolié de son héritage et se posait en victime de la convoitise. Aujourd'hui, la disparition de tante Margaret, puis la plainte déposée en justice par ses trois frères aînés, Jason, Raymond et Alain, avaient révélé au grand jour la malignité qui bouillonnait sous la surface depuis toujours.

Jason, directeur commercial de la chaîne, était à l'évidence arrivé le premier, ce matin, dans la salle. Il occupait en bout de table la place d'honneur ordinairement dévolue au directeur de l'information qui, hélas pour lui, n'était pas un Lyon. Mais à entendre les propos tenus ces derniers jours par Jason et Alain, on se demandait qui, chez les Lyon, était encore de la famille...

— Nous n'avons pas besoin de la couvrir, décréta Jason.

Il parlait d'une conférence de presse que s'apprêtait à tenir un adjoint au maire en délicatesse avec la justice, dont la carrière était en passe de se noyer dans le scandale.

L'adjoint en question était un ami d'Alain, l'aîné des quatre frères. Scott pinça les lèvres pour s'empêcher d'intervenir. Attaché depuis toujours à sa neutralité, il se gardait d'intervenir dans les décisions prises par ses frères. Il fit donc semblant de ne pas remarquer l'expression effarée du directeur de l'information.

— C'est de l'info, contra Bailey Ripken avec un mépris mal dissimulé. Or, notre boulot, Jason, consiste précisément à couvrir l'info...

— Cette chaîne serait-elle devenue une espèce de torchon à scandale ?

Jason Lyon balaya d'un regard empli de suffisance les journalistes présents autour de la table ronde, qui avaient préparé avec succès des journaux télévisés des années durant sans aucune aide de sa part.

— S'abaisserait-on à *cela* désormais ? Déballer en public le linge sale d'autrui ? La Lyon Broadcasting est bien au-dessus de cela ! Sujet suivant ?

Scott se glissa discrètement dans le couloir et referma la porte derrière lui au moment où les mots « intégrité journalistique » et « ignominie » résonnaient dans l'atmosphère tendue et viciée de la petite salle de conférence.

Il demeura un temps immobile, mâchoires serrées, refrénant une violente envie de prendre la poudre d'escampette. Pourquoi s'imposer d'endurer cela ? Bon sang, il serait bien capable d'exercer un autre métier... Cantonnier... Chauffeur...

Quand il eut recouvré assez de sang-froid pour affronter le monde sans cracher un venin qu'il regretterait ensuite, Scott se dirigea vers la salle de repos. Contre quelques pièces, le distributeur automatique lui fournit un petit déjeuner réparateur — gobelet de café fumant et deux croissants rassis qu'il dévora en notant à peine leur goût.

Son café venait d'atteindre une température acceptable lorsque son cousin André pénétra à son tour dans la salle de repos. Le bourdonnement des conversations se tut en présence du directeur général de la chaîne que le sort n'épargnait guère ces temps-ci.

André Lyon semblait en effet accablé. Quoiqu'il ait gardé, à cinquante-huit ans, une carrure athlétique, il se voûtait. Sans doute sous le poids des calamités qui se succédaient depuis la célébration du cinquantième anniversaire de la chaîne, l'été dernier. D'abord, la mort de son père, Paul Lyon, co-fondateur de WDIX-TV. Puis la disparition de sa mère, la Reine de Fer, le jour même des obsèques... On avait d'abord cru que Margaret Lyon avait éprouvé le besoin de se préserver de l'agitation médiatique et de trouver un endroit tranquille pour pleurer don époux, avec lequel elle avait créé une dynastie de l'audiovisuel. Mais, très vite, des indices avaient aiguillé les enquêteurs vers une piste crapuleuse.

Ce coup du sort n'était pas encore digéré, qu'un autre frappait la famille : Jason, Raymond et Alain récusaient en justice le testament de Paul Lyon... André, clamaient-ils, n'était pas un héritier légitime, puisqu'il n'était pas un Lyon. Ils détenaient des documents officiels pour le prouver...

Scott, qui ne croyait pas une seconde à ces allégations, avait honte de voir ses propres frères s'abaisser à des arguties juridiques aussi abjectes. Les autres membres de la famille étaient tout aussi abasourdis ; quant à André, ces derniers événements l'affectaient plus qu'il ne voulait le laisser paraître.

Scott alla jeter sa tasse vide dans la corbeille disposée près du distributeur. A ce bruit, André leva les yeux. Son visage, naguère si serein, témoignait aujourd'hui d'un trouble profond.

— Scott... Comment vas-tu ? La conférence de rédaction est déjà terminée ?

Il tentait de faire bonne figure. Une qualité qui forçait le respect, et que Scott admirait depuis toujours chez sa tante Margaret aussi. Quel dommage que sa propre branche de la famille ne s'en inspire pas davantage !

— J'ai pris la fuite, avoua-t-il.

André hocha la tête et pressa une touche sur l'écran

25

du distributeur. Une tasse tomba sur le plateau ; le café commença de couler goutte à goutte.

— Tu as du nouveau ? s'informa Scott.

Il était superflu de préciser à quel sujet.

— Non, hélas ! A moins...

André se tut et retira sa tasse du plateau. Ensemble, ils quittèrent la salle de repos.

— Oui ? relança Scott.

— A moins de compter les cinglés qui appellent par douzaines. Les fausses pistes se multiplient depuis que la nouvelle s'est répandue. Gaby et moi...

André but une longue gorgée de café et fit la grimace avant d'offrir à son cousin une pâle esquisse de sourire.

— Nous sommes las, voilà tout.

— Si je peux vous aider...

André posa la main sur son épaule.

— Merci, Scott. Je sais que ta position est délicate dans cette histoire.

— Pas vraiment. Je reste en dehors de la mêlée. Et je suis sincère. Si je peux vous aider, je le ferai volontiers. Tante Margaret...

De manière inattendue, sa gorge se serra à la mention de la Reine de Fer. Il pouvait presque voir la grande dame de la famille fouler en majesté les couloirs de la Lyon Broadcasting, drapée dans une robe bleu marine sévère, la tête haute, les épaules droites et la démarche toujours assurée malgré ses soixante-dix-sept ans.

— Je pense beaucoup à elle, acheva-t-il dans un souffle.

C'était peu dire. André le savait-il ? Scott *aimait* Margaret Hollander Lyon. Cette femme avait été pour lui à la fois une figure maternelle et un modèle plus marquant que ses propres parents, surtout son père, à la volonté si défaillante. Lui, le benjamin de la famille, presque un ajout, était venu au monde alors que le mariage de ses parents se désintégrait dans un silence glacé. Sa vie manquait cruellement de stabilité et, surtout, de chaleur humaine — jusqu'à ce qu'il se lie d'affection avec tante Margaret.

— Je t'en suis reconnaissant, Scott, mais à la vérité, nous ne pouvons pas faire grand-chose, les uns et les autres, à part attendre et prier...

— Je ne suis doué ni pour l'un ni pour l'autre, confia Scott.

— Moi non plus. Et je déteste devoir l'apprendre dans de telles circonstances.

Tandis qu'André s'éloignait, Scott se tourna juste à temps pour apercevoir Jason et Raymond en embuscade, dans le service comptabilité. La conférence devait être bouclée ; ces deux-là n'avaient pas perdu une miette de sa conversation avec André. Scott eut la sensation étrange que l'immeuble se refermait autour de lui. Ignorant ses frères, il tourna les talons et pénétra dans la salle de rédaction.

Reporters et cameramen commençaient à arriver. Chez WDIX-TV, le début de matinée était le moment le plus calme de la journée. Chacun traînassait en attendant que la caféine fasse son effet. Peu avant midi, l'atmosphère changeait. Les téléphones résonnaient, des voix se hélaient d'un bout à l'autre de la salle dans une joyeuse effervescence qui serait impeccablement organisée avant la fin de l'après-midi et déboucherait sur les infos du soir.

A une époque, ce processus excitait Scott. L'envie d'être le premier à sortir une info lui fouettait alors le sang... Mais à force d'observer, au fil des années, les dégâts causés au sein de sa famille par l'esprit de compétition et la jalousie, il n'avait plus qu'une envie : être ailleurs.

Il se demandait parfois s'il n'était pas arrivé la même chose à Margaret.

— Hé, Scott ! appela une voix douce derrière lui. Quoi de neuf ?

Il se tourna et sourit à Tiffany Marie Dalcour. Tout juste sortie de l'université, l'ambition intacte, la nouvelle stagiaire s'imaginait peut-être réussir plus vite dans ce métier en entourant de prévenances l'unique mâle Lyon célibataire de la maison.

— Pas grand-chose, Tiffany, répondit-il.

Occupée à trier le courrier destiné aux rédacteurs, elle manipulait un monceau d'enveloppes avec une dextérité remarquable, tout en braquant sur Scott un sourire éclatant.

— Alors, pas de sujet brûlant ce soir ?

Le sous-entendu grivois le fit rire tout bas, ce qui parut ravir Tiffany. A trente-quatre ans, Scott n'avait aucune intention de draguer cette toute jeune fille, mais il enchaîna néanmoins.

— Si nécessaire, un réchauffé fera l'affaire...

— Oups ! s'exclama Tiffany en posant une enveloppe sur le côté. Celle-ci est destinée plutôt à la direction, je suppose...

Scott jeta un coup d'œil au destinataire. *Famille Lyon.* Il s'apprêtait à s'éloigner lorsque le nom de l'expéditeur figurant dans le coin supérieur fit tilt dans sa tête.

Nicolette Bechet.

Il se saisit de l'enveloppe. Nicolette Bechet, avec une adresse hors de la ville, dans un district rural.

Curieux, un peu excité même, il tourna et retourna la lettre entre ses doigts. *Famille Lyon...* Il avait autant qu'un autre le droit de l'ouvrir, n'est-ce pas ?

Se gardant de sonder de trop près la logique du raisonnement, Scott glissa un doigt sous le revers. La signature était ample, les caractères fleuris. Plutôt surprenant, de la part de la jeune femme...

Il lut la lettre six fois de suite. Retrouver des personnes disparues, disait Nicolette, était un de ses passe-temps favoris. Et d'égrener pour preuve quelques exemples de recherches couronnées de succès. Scott fut impressionné. Intrigué, surtout. La voix lasse d'André, évoquant les fausses pistes qu'il avait dû suivre malgré tout avec son épouse, résonnait encore à ses oreilles. Inutile d'ajouter au fardeau de son cousin...

Il pouvait se charger en personne d'aller trouver l'ex-juge.

Après tout, il en avait envie depuis deux ans.

2.

Enfant de la grande ville, Scott connaissait mal les bayous légendaires de la campagne de Louisiane. Se divertir, pour lui, c'était aller traîner dans le Vieux Carré le nez au vent, à l'affût d'arômes culinaires exotiques ou d'accords de blues ou de jazz...

Bayou Sans Fin. Ce nom lui disait quelque chose, mais quoi ? Un souvenir vague, impossible à préciser... En rapport avec sa famille...

Un léger frisson courut sur sa nuque tandis qu'il guidait avec prudence son coupé sport sous un véritable tunnel de chênes verts dont la ramure dense bloquait la lumière du jour. La mousse espagnole cascadait à quelques centimètres à peine de la visière de sa casquette. Au-delà des chênes, il devinait la présence toute proche des marais, mystérieux hybrides de terre et d'eau stagnante exsudant le danger, bordés d'un mur de cyprès, de micocouliers et de saules pleureurs.

Pour unique trace de civilisation sur ces langues de terre poussiéreuse étroites, ensevelies sous le lierre, les mauvaises herbes et diverses espèces végétales inconnues du citadin habitué aux parterres tirés au cordeau de Garden District, se dressait ici ou là une

31

improbable boîte aux lettres. A l'évidence, les gens d'ici aimaient vivre loin des regards indiscrets et de la compagnie...

Pourtant, les doigts crispés sur le volant, Scott sentait une présence. Elle pesait sur lui. Elle avait d'insondables yeux bleus — fragments de ciel éclatant à travers les rares trouées de la canopée.

Il allait *la* revoir. Après deux années, le souvenir d'elle ne s'était pas estompé. Maintenant, il lui parlerait, apprendrait à la connaître et, qui sait, il réussirait peut-être à percer son mystère.

« Tu t'égares, mon pauvre vieux », se dit-il alors. A cette heure, il était censé travailler, arpenter les rues de la ville du Croissant, caméra à l'épaule, pour dénicher un sujet. Tourner des heures de reportage pour quelques minutes d'antenne tout au plus. Puis, en fin de journée, retrouver ses collègues, prier pour avoir décroché l'info du jour et se pavaner en cas de victoire... ou serrer les dents pour peu que son film n'ait pas franchi le cap de la salle de montage.

Soudain, il vit devant lui un pont de bois, si branlant qu'il le traversa en retenant son souffle. Et tout aussi soudainement, il avisa une grande boîte aux lettres rouge sur la gauche, quelques mètres plus loin. Y figurait le nom de Bechet, écrit à la main en lettres jaunes.

Il dut braquer à mort pour s'engager sur le chemin de pierres et de boue. Une branche de chêne brossa la laque rouge vif de la portière côté passager ; la mousse descendait de plus en plus bas sur l'habitacle décapoté, si bien que Scott se demanda comment il réagirait si un serpent tombait de ce lacis de verdure.

Deux cents mètres plus loin, l'horizon s'éclaircit à

peine, révélant une arche de cyprès qui portait une pancarte : *Bienvenue à la ferme de Cachette en Bayou.* Bienvenue, vraiment ? Un peu exagéré, songea Scott. Ces prémices n'étaient guère engageants pour les visiteurs. Il ralentit, roula bientôt au pas…

Lui revint alors, sans prévenir, l'image du portail massif de Lyoncrest, l'imposante demeure familiale sise au cœur de Garden District. Avec ses deux lions de bronze lisse fièrement dressés sur leurs piliers, l'entrée de la propriété le choquait souvent par son allure peu accueillante — tout comme aujourd'hui cette allée sombre hostile.

Mais, ici, il était *invité,* en quelque sorte. Non pas nommément, bien sûr, mais en sa qualité de représentant de la famille Lyon.

La ferme apparut enfin. A quoi s'était-il attendu ? Difficile à dire. Mais pas à *ça,* en tout cas. Pas à cette bâtisse déstructurée aux extensions anarchiques sans doute ajoutées au fil des ans, à chaque naissance, peut-être, à chaque nouvelle génération de Bechet, selon un plan imprévisible.

Le corps de ferme d'origine se composait d'une structure carrée sur trois niveaux, en briques de formes inégales de la teinte exacte des crevettes bouillies, montée sur pilastres au-dessus d'un jardin laissé à l'abandon. Le rez-de-jardin s'ornait de petites fenêtres laissant à peine filtrer la lumière dans ce qui devait être une cave. Une volée de marches raides, mais larges, donnait accès à la galerie et à la porte d'entrée, sans prétention et, en l'occurrence, grande ouverte. Deux ailes plus récentes flanquaient l'édifice, l'une de bois de cyprès naturel, l'autre peinte en beige assez terne. Levant les yeux, Scott découvrit un toit en tôle, des volets aussi hauts que des portes accrochés de guingois, et une antique cheminée en brique qui semblait vaciller sur ses bases.

Cette demeure plutôt fruste était littéralement cernée de camions à plateaux plus ou moins cabossés — Scott en dénombra six — auxquels s'ajoutait une Cadillac 1960. Toutes sortes de bruits s'échappaient de ses fenêtres, crissement de scies, de perceuses, coups de marteau... sur fond de musiques discordantes, zydeco dans l'aile en cyprès, country dans l'autre.

Etait-ce vraiment la maison de Nicolette Bechet ?

Tout en se garant près d'un pick-up bleu roi à rayures fantaisie, le plus loin possible de la cheminée branlante, Scott s'interrogea une dernière fois sur le bien-fondé de sa présence ici...

Et puis, il l'aperçut. Elle.

En équilibre précaire devant une fenêtre du premier étage, un pied botté à l'intérieur, l'autre posé sur les tôles du toit, elle s'acharnait sur un volet pour le déloger de ses gonds, un marteau à pied-de-biche coincé dans la ceinture de sa combinaison de peintre blanche. Une casquette assortie, visière sur le côté, protégeait ses cheveux sans parvenir à les couvrir tout à fait. Car ses cheveux n'étaient plus ni laqués ni retenus en un chignon strict ; ils coulaient en boucles folles jusque sous les omoplates.

Si son cœur n'avait fait un bond dans sa poitrine à cette vue, jamais Scott n'aurait attribué cette silhouette à la juge aux tenues sévères dont il avait gardé le souvenir.

Sans la quitter des yeux, il retira la clé du démarreur, saisit la lettre et mit pied à terre.

Elle faillit basculer à la renverse lorsque le volet céda enfin. Avec un cri de triomphe, elle propulsa l'objet rétif vers le rebord du toit dans un fracas de ferraille et accompagna sa chute chaotique vers le sol d'un long cri de guerre :

— Là ! Tu n'es plus qu'une ruine... Une ruine exaspérante !

Scott l'observait, sidéré. Les yeux de la jeune femme se posèrent sur lui.

— Qui êtes-vous ?

— Scott Lyon, répondit-il, agitant la lettre à bout de bras.

Elle se campa au bord du toit, mains sur les hanches.

— Fichez le camp de ma ferme !

Ce devait être un malentendu. Le sourire de Scott s'élargit.

— J'ai reçu votre lettre...

— Et moi j'ai une carabine de chasse dont j'userai dans trente secondes précises si vous n'avez pas filé.

Là-dessus, elle se tourna vers la fenêtre dont elle enjamba l'appui avec une grâce que Scott n'avait encore jamais vue chez un humain en combinaison de peintre et *boots* de cow-boy.

— Feriez mieux d'obéir, lança une voix depuis l'aile zydeco.

Scott croisa le regard amusé d'un homme à la barbe drue et noire, qui tenait négligemment dans sa pogne de bûcheron une perceuse de taille industrielle.

— Elle est assez douée avec la carabine...

— C'est elle qui m'a fait venir, argua Scott qui souriait toujours.

L'ouvrier secoua la tête.

— Peut-être, mais là, elle va vous expédier.

Au même instant, un coup de feu retentit.

Scott tressaillit et releva la tête. Elle était là, la carabine fumante pointée vers le ciel et le regard noir.

— Un avertissement, précisa l'ouvrier. Moi, j'insiste jamais, avec elle.

— Elle en vaut pourtant la peine…

— Bah ! Je tiens à ma peau.

— Peut-être que je tiens à la sienne.

La barbe sombre se fendit d'un sourire éclatant de blancheur.

— Ça, je vous comprends… Mais quand même, si j'étais vous, je me planquerais sur la galerie.

— Bonne idée, approuva Scott, notant le canon du fusil qui s'abaissait lentement dans sa direction.

Il grimpa en trois foulées la volée de marches non polies mais solides, assorties aux lattes flambant neuves de la galerie. A son approche, un chien couché dans un cercle moucheté de lumière leva une paupière ensommeillée. L'animal se souciait moins des visiteurs que la maîtresse des lieux…

L'intérieur de la maison était plongé dans l'obscurité. Scott se risqua dans le vestibule, attendit quelques secondes…

— J'ai entendu le coup de feu. Vous venez de voir ma petite-fille, je présume.

La voix venait de la gauche.

Scott se tourna vers le salon. Alors, il découvrit une vieille dame assise dans un fauteuil à bascule devant la cheminée. Ici, remarqua-t-il, pas de voûtes ni d'ornements superflus, juste une pièce carrée, fonctionnelle, avec un plancher strié de cicatrices et des murs de plâtre évidés par intervalles, laissant à nu les circuits électriques.

— Scott Lyon, dit-il en retirant sa casquette. Elle a dû oublier... Elle m'a écrit. C'est-à-dire, elle a écrit à ma famille...

Son interlocutrice tenait sur ses genoux un chat, et oiseau blanc de belle prestance, tacheté d'orange vif, avait élu perchoir sur son épaule.

— Scott, murmura-t-elle. Je ne connais pas de Scott...

— Prescott Lyon, madame. Benjamin de Charles Lyon.

Scott était accoutumé à n'être pas immédiatement reconnu. En revanche, le nom du clan produisait toujours son effet.

— Eh bien, Prescott, si vous m'appeliez Riva ?

— Enchanté de vous connaître, madame.

— Rien ne vous oblige à me donner du « madame ». Compris ?

— Oui, madame.

Elle le toisa d'un regard perçant — ce même regard qu'il avait vu tout à l'heure chez Nicolette Bechet perchée sur son toit.

— Oui, Riva, rectifia-t-il de bonne grâce.

— Voilà qui est mieux. Ainsi, vous êtes le fils de Charles Lyon... Le bon à rien, si je ne m'abuse ?

Ce franc-parler lui rappela Margaret. Il se sentit aussitôt à son aise avec cette femme — pourtant si différente de sa tante, en apparence. Elle semblait plus âgée d'abord, avec ce visage parcheminé, ces épaules voûtées... Lui manquait la vigueur innée de tante

37

Margaret. Quant au style ! Margaret affectionnait les tailleurs bleu marine austères, avec un discret rang de perles pour toute parure. Chaussée pour sa part de ballerines, Riva portait une sorte de gilet d'un violet tapageur sous une écharpe rouge et jaune, et des bijoux aux coloris éclatants ornaient ses oreilles, son cou, ses poignets.

Sous le charme du personnage, Scott ne songea pas un instant à se formaliser de cette opinion peu flatteuse sur son propre père.

— Oui, répondit-il. Certains décriraient Charles comme un bon à rien.

— Aucune importance. Moi, on m'a donné des noms bien pires !

— *Oh-oh !* cria soudain le perroquet.

Riva leva les yeux au-dessus de Scott. Son visage s'éclaira.

— Ah, Nicki. Ton invité est arrivé.

Scott se tourna légèrement pour accueillir la jeune femme. D'aussi près, les ondes hostiles émanant de sa personne devenaient presque palpables. Il sentit son pouls s'accélérer.

Dieu merci, la carabine était restée à l'étage.

— Merci de ne pas m'avoir abattu, dit-il, tout sourire.

— Je vous ai demandé de partir, répliqua-t-elle, ignorant la main qu'il lui tendait.

— C'était même un ordre, je crois.

— Nicki, mon enfant, surveille tes manières. Ce jeune homme va penser que le bayou nous rend inhospitaliers.

Nicki darda sur son aïeule un regard noir.

— Toi, reste en dehors de cette histoire !

— *La ferme !* cria l'oiseau.

— C'est vous qui lui avez appris à parler, n'est-ce pas ? observa Scott à l'intention de Nicki.

Riva pouffa d'un rire approbateur.

— Je suis ici pour discuter de votre offre, pas plus, dit-il en montrant la lettre. J'aurais dû m'annoncer par téléphone, sans doute...

— Mais de *quoi* parlez-vous, à la fin ?

Ses yeux bleus lançaient des éclairs. Toute sa personne frissonnait d'exaspération.

Scott lui tendit l'enveloppe.

Alors, elle déchiffra la missive comme si elle la voyait pour la première fois. Puis elle froissa bruyamment le papier dans son poing et le lança dans l'âtre.

— Maman Riva, cette fois, tu exagères ! s'écria-t-elle avec un accent cajun qu'il ne lui connaissait pas.

Elle se tourna vers lui.

— Navrée, vous avez perdu votre temps. Ma grand-mère s'amuse avec nous. Je me charge de vous présenter ses excuses, car je doute qu'elle en prenne l'initiative. A présent, si vous voulez bien m'excuser, j'ai du travail.

Elle s'éloignait déjà.

Scott fit un pas vers elle — mais que lui dire pour l'amener à changer d'avis, pour l'attirer dans ce tourbillon qu'elle suscitait en lui ? S'il la suivait simplement... S'il l'embrassait ?

— Je ne ferais pas ça, si j'étais vous, dit Riva.

Il pivota vivement.

— Faire quoi ?

Pour toute réponse, la vieille dame se mit à rire.

— Asseyez-vous, proposa-t-elle en désignant un fauteuil.

Comme il s'approchait, un couple de chats endormis sur le coussin se réveillèrent en sursaut. L'un bondit à terre en feulant tandis que l'autre se réfugiait sur le bras du fauteuil. Mais lorsque Scott fut assis, le félin sauta sur ses genoux puis s'allongea après avoir tourné quatre fois sur lui-même.

— Il vous aime, ce chat.

— On ne saurait en dire autant de votre petite-fille...

— Mon chat est meilleur juge.

— Je l'espère.

Scott se tut et garda le silence. Comme il l'espérait, Riva reprit la parole la première.

— C'est vrai, ce que dit la lettre. Nicki retrouve les personnes disparues. Grâce à l'informatique.

— Elle ne semble pas disposée à m'offrir son aide.

— Nicki déteste les Lyon, dit Riva en haussant les épaules.

— Alors, pourquoi suis-je ici ?

— Parce que vous voulez retrouver Margaret.

Scott caressa distraitement la fourrure du chat. « Et je ne suis pas le seul », songea-t-il en dévisageant Riva Bechet.

Nicki gagna directement le ponton, seule construction des quatre-vingts hectares de la propriété qui ne tombât pas en ruine, et s'abîma dans la contemplation du marais.

Elle fulminait.

40

Riva Reynard Bechet s'imaginait savoir comment chacun devait mener sa vie, et ne se gênait pas pour s'en mêler. Parmi ses nombreux défauts, celui-là n'était contesté par personne. Mais de là à poster une lettre signée « Nicki »... qui invitait de surcroît les Lyon à Cachette en Bayou !

Comment avait-elle *osé* ? Nicki leva les yeux vers la maison... et retint un cri.

Ils s'installaient sur la galerie, maintenant ! Il tira un fauteuil pour sa grand-mère, qui accepta en souriant. Lui aussi souriait...

Une scène révoltante. Nicki se tourna résolument vers le bayou.

— Hé ! Nicki... Qu'est-ce qu'elle a encore fait ?

Nicki ferma les yeux. « Pas maintenant ! » pria-t-elle tout bas.

Mais le plancher du ponton oscilla légèrement. Sa jeune cousine Toni venait de s'asseoir près d'elle.

— J'étais dans le cabanon, j'ai entendu le coup de feu... Qui est-ce ?

Inspirant à fond, Nicki entrouvrit les paupières.

Rien n'avait bougé, ni la surface lisse et verdâtre des eaux dormantes, ni les touffes de joncs abritant les nids du bihoreau gris et des buses à queue rousse. Les longues feuilles des taros se balançaient encore dans la plus douce des brises. Un léger voile de brume s'accrochait à la berge opposée. On pouvait compter sur le bayou, en toute saison, année après année...

L'unique variation dans le paysage depuis tout à l'heure, c'était l'apparition d'une aigrette venue se poser sans bruit sur une branche basse de cyprès. L'oiseau était paisible et nimbé d'une grâce légère... Un contraste saisissant avec le quotidien de Nicki.

— Dans ma prochaine vie, je reviendrai sous la forme d'une aigrette, murmura la jeune femme.

Toni se mit à rire.

— Pas moi ! s'exclama-t-elle. Je serai un alligator... Pour régler d'un coup de dents tous mes sujets d'énervement. Il est vrai que, toi, tu le fais déjà dans ta vie actuelle...

— Tu es très perspicace, concéda Nicki avec un sourire sans joie.

— Oh ! J'ai aussi mes défauts.

L'aigrette prit son envol dans un silence absolu.

— C'est un Lyon, dit Nicki. Scott Lyon.

— Un Lyon ? Tu parles de cette famille qui fait la une des journaux ces temps-ci... L'aïeule partie avec le magot, ou quelque chose comme ça...

Sur le moment, Nicki envia à sa cousine l'insouciance de ses dix-huit ans. A cet âge, le monde se limitait à des préoccupations tangibles, immédiates — un garçon à l'allure folle en jean et boots, un concert programmé ce week-end pour le groupe de zydeco dans lequel on s'investit corps et âme, les hamburgers qu'on savoure sans compter avec la certitude de rester mince à jamais...

— Quelque chose comme ça, confirma-t-elle en soupirant.

— Tu la retrouveras, cette femme ?

— Non.

— C'est lui que tu visais tout à l'heure, n'est-ce pas ?

— Ouaip !

— Pourquoi ? dit Toni. Il est plutôt mignon, vu d'ici.

Nicki n'eut pas besoin de se retourner vers la maison. Son esprit pouvait lui présenter à la demande l'image de Scott Lyon.

Le teint mat, les pommettes hautes, la mâchoire ferme, le menton volontaire… Le nez fin et droit, comme façonné par Michel-Ange. Ses cheveux étaient aujourd'hui très courts, si courts qu'il serait impossible d'y fourrer les doigts, et teintés de fils d'argent alors qu'il devait avoir, comme elle, dans les trente-quatre ans. Un minuscule anneau d'or brillait à son oreille gauche…

Mais plus que tout, c'étaient les yeux de Scott Lyon, d'un gris cendré, qui hantaient Nicki depuis deux ans — depuis ce jour fatidique où il avait fait irruption dans son cabinet. Sur le moment, elle avait failli suivre son instinct et se fier à ce regard franc qui prétendait l'aider, sans arrière-pensées…

Quelle idiote !

— Je n'aime pas les Lyon, marmonna-t-elle.

— Parce qu'ils dirigent la chaîne de télé responsable du chahut qui a suivi la mort d'oncle David ?

Tout compte fait, les adolescents n'étaient peut-être pas si insouciants que Nicki l'avait cru. Un désir impérieux de fuir la saisit, comme souvent. Mais cette fois, elle se fit violence et ne bougea pas.

— Exactement, répliqua-t-elle.

— D'après papa, tout ce qu'ils ont raconté était vrai.

L'oncle James… Un type froid, collet monté, tout le contraire d'un émotif… Nicki se mordit la lèvre

43

pour ne pas insulter le père de Toni. En outre, elle avait conscience d'être elle-même considérée comme glaciale par ses cousins, surtout les plus jeunes. Ils ne comprenaient pas...

Peut-être qu'elle ne comprenait pas l'oncle James ?

— Vrai ou pas, répliqua-t-elle, toute la ville a appris que mon père était un camé et qu'il avait élevé sa fille en artiste de rue. Je n'en étais pas ravie...

Enoncer les faits à voix haute lui coûta. C'était néanmoins une façon de mettre la réalité à distance, afin de se soustraire à son pouvoir...

Un jour peut-être, à la longue, cette tactique deviendrait efficace.

— Ce n'est pas ta faute si oncle David était, disons, malade. Et très moyen, comme père.

Nicki jeta un regard à sa cousine. Des Reynard, Toni avait hérité la crinière rousse, le goût pour les bottes en peau de serpent, mais aussi le timbre rauque et chantant à damner un saint, sans parler d'une silhouette digne de Marilyn, et d'un franc-parler qui n'est tolérable que chez les plus clairvoyants...

Que n'aurait-elle donné pour lui ressembler davantage ! Cela ne risquait pas d'arriver, Nicki ne le savait que trop bien. Elle était comme elle était, voilà tout.

— Tu es chanteuse, dit-elle. Dans le monde du spectacle, c'est assez toléré d'être déjanté. Devant les juges des affaires familiales, en revanche...

— Les gens n'ont pas envie de savoir que ces juges sont humains, n'est-ce pas ?

Nicki sentit sa colère revenir d'un coup. Où avait-elle la tête, pour aborder avec une fille de dix-huit ans le sujet des démons de sa vie ?

— Fiche-moi la paix ! s'écria-t-elle.

Toni pouffa. Elle n'était même pas susceptible ! Certaines femmes, décidément, avaient tous les dons. Les autres n'avaient qu'à se contenter des restes...

— Pas tout de suite, Nick, si ça ne te fait rien...

— Je t'offre le billet si tu pars aujourd'hui même et que tu me laisses tranquille !

Elles partirent ensemble d'un grand éclat de rire.

Nicki en oublia presque que Maman Riva, en ce moment même, était occupée à frayer avec Scott Lyon — celui-là même qui gardait la caméra braquée sur son visage pendant que la presse s'évertuait à déterrer les secrets enfouis dans son âme. Elle oublia presque que Scott Lyon avait découvert Cachette, ce refuge où elle était venue panser ses blessures quand le grand public avait appris que la juge Bechet n'était pas parfaite.

A la faveur de ce moment de détente, elle faillit même oublier l'instant de faiblesse où Scott Lyon avait fait naître un frisson au creux de ses reins.

— Viens avec moi, proposa Toni. J'emmène maman chez le psy, aujourd'hui. Si tu reste avec moi dans la salle d'attente, je ne serai pas tentée de gribouiller des moustaches sur les couvertures de *Psychology Today*.

— J'ai du travail ! protesta Nicki. Si je m'absente...

Toni se leva.

— On dirait qu'ils en ont pour un bon moment.

Nicki tourna enfin la tête vers la galerie.

La carafe de limonade avait fait son apparition. Les fauteuils avaient été rapprochés, les fronts se touchaient presque dans le feu de la discussion. A croire que Scott Lyon s'incrustait !

— Elle l'aura convaincu de t'attendre, ajouta Toni, finaude. Mon pick-up est garé derrière le cabanon. Nous n'avons même pas besoin de passer par la maison.

Lutter contre la volonté de Riva... Nicki n'en eut pas la force.

— Marché conclu, Toni. Je t'aiderai, pour les moustaches...

Les deux cousines ne revinrent que le soir. Au crépuscule, Toni s'engageait dans l'allée menant au cabanon.

Le dîner avait déjà commencé sur la terrasse. Dès ses premières foulées sur le sentier envahi d'herbes folles qui remontait vers la maison, Nicki perçut des éclats de voix et entrevit les lueurs des bougies dans la nuit noire. Par chance, à Cachette en Bayou, il était inutile de s'habiller chic pour le dîner. Elle se borna donc à retirer sa casquette pour se repeigner du bout des doigts chemin faisant. D'exquises effluves lui mirent l'eau à la bouche. Son cousin T-John, gérant d'une petite cafétéria de New Iberia, avait dû arriver dans l'après-midi. Il faisait la meilleure *étouffée* du comté...

Sourire aux lèvres, Nicki déboucha enfin sur la terrasse, dans la joyeuse cacophonie présidant à chacun des repas de la tribu. Tout en se frayant un chemin jusqu'à sa place habituelle, la jeune femme identifia au moins trois conversations en cours. L'une portait sur la prochaine récolte de riz, une autre sur un politicien malhonnête prêt à tout pour s'assurer des électeurs, la dernière sur le fait que T-John avait grossi...

46

Assis juste en face de sa chaise vide, se tenait Scott Lyon.

Celui-ci se leva dès qu'il l'aperçut — une attention d'homme du monde jamais vue autour de la table des Bechet.

La lueur des bougies dansait sur son visage, rehaussant les angles vifs. Le gris des yeux se fondait dans la pénombre, plus troublant que jamais.

— Vous...

— Hé, Nicki !

La voix de baryton de T-John s'éleva, reconnaissable entre toutes.

— Jeune fille, tu as failli laisser tes goinfres de cousins finir la casserole d'*étouffée* ! Beau, fais donc passer le plat... Et *arrête* de te resservir ! Alors, tu vas aider ces huiles de la famille Lyon, m'a dit Maman ? Ça alors ! Tu seras dans les journaux, bientôt ?

Nicki ouvrit la bouche pour nier. Mais au même moment, la main de Riva se posa sur la sienne. Et les yeux de Scott ne la lâchaient pas.

— *La ferme !* lança Perdu depuis sa place d'honneur sur l'épaule de sa maîtresse.

Un conseil judicieux, qu'elle suivit à la lettre.

3.

Dans sa chambre, au premier étage, Nicki ferma la fenêtre pour s'isoler des rires et des clameurs sur fond de musique endiablée qui montaient du cabanon, situé pourtant à quelques centaines de mètres de là.

Chaque nuit ou presque, une fête animait cette cahute bâtie au bord de l'eau. Entre ses cinq cousins et les amis de passage... Chansons et bière glacée étaient alors de rigueur, mais en présence de T-John, l'ambiance grimpait d'un cran. T-John avait des histoires en réserve, et possédait la voix puissante qui convenait pour les raconter. Ce soir, la nuit serait plus folle encore que d'habitude. Plus longue, aussi. Nicki distingua un rougeoiement à travers les arbres. Un feu de camp éclairerait les chanteurs et chaufferait le public...

Elle se détourna de la vitre.

Sur le seuil de la chambre se tenait Riva, les pans de sa robe de chambre de soie lie-de-vin serrés dans une main, un chandelier dans l'autre. A la lueur tremblotante des flammes, son visage paraissait un lit de rivière à sec, creusé de ravines. Perdu était à son poste, et Milo s'affala sur le carrelage aux pieds de sa maîtresse.

— Il ne faut pas avoir peur de s'amuser, *chère fille*.

La voix de Maman était douce, à ce moment de la nuit. D'ordinaire, Nicki mettait cette douceur sur le compte de la fatigue, mais il lui plaisait parfois de penser que c'était la voix toute spéciale que lui réservait sa grand-mère quand elles se trouvaient en tête à tête.

— Moi, je ne trouve pas cela amusant, répliqua-t-elle en saisissant le livre abandonné sur la table de chevet.

— Tu es bien sérieuse, pour une femme aussi jeune...

— Pas si jeune que ça, Maman.

Riva désapprouva d'un claquement de langue et se tapota le front.

— Là-dedans, tu es vieille. Uniquement là !

C'était vrai...

Etait-elle donc si transparente ? La perspicacité de sa grand-mère déconcertait Nicki. Quant aux joyeuses agapes de ses cousins, elles l'emplissaient de gêne et d'amertume. Elle baignait dans la frivolité depuis sa tendre enfance, du temps où elle habitait le Vieux Carré à La Nouvelle-Orléans. Les rires éméchés, la musique rythmant les beuveries — cela, elle l'avait reçu en héritage de son père et pouvait le tolérer un temps. Mais, très vite, l'angoisse revenait, et avec elle un réflexe de fuite irrépressible.

Ainsi, les soirs comme ce soir, Nicki avait l'impression d'avoir de nouveau dix ans. Un prédateur invisible et mystérieux la guettait, derrière la musique et les rires. Surtout, rester sur ses gardes...

Elle chassa cette pénible sensation. Ses peurs, ses

blocages lui étaient familiers, songea-t-elle, elle devait être capable de s'en accommoder.

— Tu devrais aller te coucher, Maman.

Riva sourit.

— A mon âge, je peine à trouver le sommeil. Je m'inquiète tant pour vous autres, les jeunes... Aucun ne s'assagit, que je puisse enfin respirer...

Songeant à ses cousins, Nicki lui rendit son sourire.

— Ils en sont loin. A l'exception de Beau, peut-être...

— Et toi ?

— Moi ? Je suis déjà casée.

Riva fronça les sourcils.

— Voyons, Maman, mon travail me plaît, j'aide les autres... Je m'occupe des réparations ici, dans cette ferme... Tu devrais être contente, elle sera là pour nous garder tous unis.

— Elle est si vieille... Tu en seras prisonnière. Elle devrait s'écrouler sur nous, tiens, ça c'est une idée !

— Pourquoi dis-tu des choses pareilles ? s'exclama Nicki.

— J'y vais, maintenant, soupira Riva. Je me sens si lasse.

— Tu ne réponds jamais à mes questions... Tu en as conscience, au moins ?

Riva disparut dans le couloir en traînant les pieds. Seul Perdu se donna la peine de répondre.

— *La ferme !*

Nicki se fit alors la réflexion, comme souvent, que sa grand-mère était aussi nerveuse, aussi perpétuellement insatisfaite que son père. Tant de points communs entre mère et fils... et au finale, des querelles incessantes. Quand Nicki était enfant, David Bechet quittait systématiquement la pièce si Riva s'avisait d'y entrer. Aux yeux de Nicki, la faute en incombait à son père, ou encore à ces drogues qui avaient fini par le tuer...

Mais après avoir vécu deux années sous le même toit que Riva, elle se résignait peu à peu à réviser son jugement : l'explication n'était peut-être pas aussi simple.

Après avoir regonflé ses oreillers et allumé la lampe à pétrole qu'elle avait pris la précaution d'installer sur sa table de chevet, Nicki s'étendit et rouvrit son livre, un roman qui ferait un parfait sédatif.

Ce soir-là, bercée par le vent et la musique dont il charriait les rythmes, elle songea aux histoires de T-John, perdues pour elle, à toutes ces occasions de réjouissance collective qu'elle fuyait.

Puis ses pensées allèrent à Scott Lyon, dont le regard pâle l'avait caressée pendant tout le dîner. A son corps mince et athlétique à la fois. Un sourire lumineux éclatait parfois sur ses lèvres sur un bon mot de T-John... L'anneau d'or qu'il portait à l'oreille lui donnait un côté rebelle qui laissait Nicki perplexe et méfiante. Elle le revit fermant les yeux, le tête rejetée en arrière, pour savourer la première bouchée de *bread pudding*, ce pain perdu que T-John arrosait de rhum et truffait de raisins de Corinthe...

Cet homme aimait prendre du plaisir.

Nicki songea aussi à la manière dont il l'avait sauvée des griffes des journalistes, deux ans plus tôt, et se demanda ce qui l'y avait incité à l'époque.

Une question absurde. Elle n'aurait jamais la réponse

puisqu'elle n'avait absolument pas l'intention d'aborder ce sujet avec lui.

Cette nuit-là, elle termina son roman. Au matin, cependant, elle ne put se rappeler comment se concluait l'histoire.

Quelle gueule de bois... Voilà bien longtemps que Scott n'avait salué la naissance du jour dans cet état comateux. Se laisser aller à boire n'était pas dans ses habitudes mais, avec les Bechet, il n'était pas facile de dire non.

Après s'être frotté les yeux, il s'assit avec précaution tout au bord du lit de camp qui lui avait semblé un paradis sur le coup de 4 heures du matin. A présent, il avait mal partout. Autour de lui, le cabanon glacial montrait divers signes d'une occupation récente, lits de camp défaits, oreillers et couvertures entassés sur des chaises... Etait-il donc le dernier debout ? Presque. Une jeune personne, étendue dans un duvet installé à même le sol, cligna des yeux dans sa direction, révélant un magnifique regard émeraude.

— Mal au crâne ?

Scott identifia dans l'instant cette voix gutturale. Toni, la rousse au corps de rêve... Avec un tel canon à ses côtés, comment avait-il pu penser à Nicki toute la nuit ?

« Parce que tu ne cours pas après les gamines de dix-huit ans », lui rétorqua son cerveau embrumé.

— Crâne ? marmonna-t-il.

— Ce truc qui bourdonne entre vos oreilles, précisa Toni en s'extirpant de son duvet.

Elle était aussi fraîche qu'après une paisible nuit de sommeil, nota Scott. C'était le privilège de ses dix-huit ans. A trente-quatre, en revanche...

— Venez, dit Toni en lui tendant la main. Maman Riva a un remède infaillible contre la gueule de bois. Jus d'huîtres, jus de tomates, sauce au poivre et œuf cru.

Scott accepta sa main tendue en gémissant :

— D'accord, à condition que je ne le voie pas...

Toni se mit à rire.

Il y avait déjà foule autour de la table de cyprès massif lorsqu'ils arrivèrent sur la terrasse en brique. Les membres du clan Bechet devaient être plus coutumiers que lui des fêtes improvisées au bord du bayou jusqu'au bout de la nuit. Aucun d'eux ne semblait avoir la tête cotonneuse ni l'estomac nausséeux.

— Ah ! Scotty le *Lyon* est enfin levé !

Le salut sonore de T-John faillit lui pulvériser les tempes.

— Maman, il a besoin de ton élixir.

Riva saisit la main de Scott et le fixa droit dans les yeux.

— Ah ! petits drôles, qu'avez-vous fait à notre invité ? Vous l'avez tenu éveillé toute la nuit pour le faire boire, je parie. Pas de souci, Riva s'en occupe !

— S'il vous plaît, madame Bechet, ce ne sera pas...

Elle avait déjà quitté sa chaise et gagné la cuisine.

— ... nécessaire, acheva Scott dans un soupir.

Toute la tablée éclata de rire. Un rire communicatif,

qui l'attirait derechef dans le cercle si chaleureux des cousins Bechet...

Mais il manquait quelqu'un.

Déjà hier soir, Nicki ne s'était pas jointe à la fête. Le contraire eût été surprenant, lui avait expliqué Toni. Scott tenta donc de se convaincre que, ce matin, l'absence de la jeune femme n'avait aucun rapport avec lui. Avait-elle décidé de demeurer invisible...

Riva réapparut bientôt et posa un verre devant lui.

— Celle-là est déjà en train de harceler les ouvriers, annonça-t-elle en réponse à la question qu'il n'avait pas formulée. Buvez !

Scott risqua un coup d'œil au contenu du verre. Ses narines frémirent.

— Qui doit manger une grenouille, dit Riva, a tout intérêt à ne pas la regarder trop longtemps.

Il préleva quelques gouttes du bout des lèvres.

— D'un coup ! gronda Riva.

— Comme vous avez englouti la première bière hier soir, renchérit Beau — pour l'encourager, sans doute.

— Laisse-le tranquille, Beau. Il n'est pas ivrogne comme vous. A présent, Scott, faites comme je vous dis. Buvez d'un coup.

Riva n'avait pas tort. Cette grenouille enflait à vue d'œil. Respiration bloquée, Scott lampa les trois quarts de la concoction.

Pas de haut-le-cœur. Ce devait être bon signe...

Les applaudissements fusèrent lorsqu'il reposa le verre vide sur la table.

— Voilà un homme, un vrai ! décréta Tony. Bienvenue au bayou ! Vous êtes des nôtres.

Une fois absorbée la potion du diable, Scott se détendit

un peu. Il se sentit même très vite franchement mieux. Dans la foulée, il savoura trois biscuits accompagnés d'un bol de café noir tiède et se joignit à la conversation des cousins Bechet, tissée d'un badinage espiègle et complice qu'il appréciait déjà beaucoup. Voilà, songea-t-il, une véritable famille, soudée, chaleureuse, aimante, chacun prisant la compagnie de son voisin sans arrière-pensées. On était loin, ici, de la froideur dictée par de vieilles rancunes qui minait le clan des Lyon.

Sauf en ce qui concernait Nicki, bien sûr.

Son petit déjeuner terminé, Scott insista pour aider Riva à débarrasser, puis partit sans tarder à la recherche de la jeune femme.

Elle ne fut pas difficile à dénicher. Alerté par des éclats de voix, Scott l'aperçut parmi les ouvriers, menant son monde à la baguette.

— Je ne tolérerai pas qu'on m'arnaque, Em. Le travail sera fait honnêtement ou il sera fait par quelqu'un d'autre !

Face à Nicki, se tenait l'ouvrier barbu que Scott avait croisé la veille en arrivant. Poings serrés sur les hanches, il aurait dû écraser son interlocutrice de toute sa carrure. Mais non, Nicki se tenait très droite dans son pantalon de peintre en toile blanche et son T-shirt rayé bleu et blanc, le menton farouchement pointé en avant.

— Je ne fais jamais rien au rabais, se défendit l'homme. Emile Lafitte est le meilleur charpentier de Louisiane, et il vous le soutient : deux par quatre, ça suffira. Les hommes savent ces choses-là.

— Ne le prenez pas sur ce ton avec moi. Cette maison est la mienne et je veux du quatre par quatre.

56

La voix de Nicki restait ferme et posée, en dépit de la rage croissante du prénommé Emile.

— C'est du gaspillage, rétorqua-t-il en fronçant les sourcils. Des délires de bonne femme !

— Quatre par quatre, répéta Nicki, imperturbable.

— Ça vous coûtera deux fois plus cher !

— Si vous renâclez, je trouverai un autre charpentier.

Emile parut suffoqué.

— Faites ça, et vous verrez ce que c'est que le bas de gamme, le travail de cochon !

— Je prends le risque.

Là-dessus, Nicki lui tourna le dos.

L'autre grogna et leva les deux mains au ciel en marmonnant une imprécation en langue cajun qui ressemblait à s'y méprendre à une bordée de jurons.

— Quatre par quatre... s'exclama-t-il. Quelle tête de mule ! Vous les aurez, vos quatre par quatre ! Je perds de l'argent, mais vous gagnez la partie. Satisfaite ?

Nicki s'épargna la peine de se retourner.

— Je vous répondrai quand j'aurai vu le résultat, Em.

Les autres ouvriers, un moment distraits par la dispute, se remirent au travail. Croisant Scott, Emile secoua la tête et agita l'index.

— Croyez-moi, ce... cette femme... Non mais, vous avez déjà vu une bonne femme comme elle ?

Nicki s'éloignait sans hâte, distribuant à la ronde compliments et sourires, glissant quelques mots d'encouragement ici ou là, sans paraître affectée le moins du monde par l'altercation qui venait de l'opposer à son charpentier.

— Je ne crois pas, murmura Scott.

Cependant, il songea que ce n'était pas tout à fait exact.

Nicolette Bechet était une version plus jeune, plus directe aussi, de la Reine de Fer. « Je suis une dure à cuire », répétait sa tante. Elle dirait sans doute la même chose de Nicki si leurs chemins se croisaient un jour. Si lui-même, un jour, revoyait Margaret...

Une vague de mélancolie le submergea. Trop de « si »...

Mais la dure à cuire ici présente pourrait être celle par qui ces « si » deviendraient des « quand ». Chassant l'émotion pour s'accrocher au mince espoir incarné par Nicki Bechet, Scott se glissa à sa suite dans une autre pièce de la maison.

Elle discutait avec un électricien qui, à la différence d'Emile Lafitte, semblait acquiescer à toutes ses demandes. Scott ne douta plus que le clan Bechet resterait un matriarcat bien après la disparition de Riva Reynard Bechet...

Une fois l'électricien retourné à sa tâche, Nicki daigna enfin remarquer la présence de Scott. Un instant, son assurance parut faiblir. Mais cette fugace vulnérabilité s'évanouit si vite que Scott se demanda s'il n'avait pas rêvé. Peut-être aurait voulu qu'elle soit, comme lui, en proie à une puissante émotion, presque inexplicable...

— Je suis censée vous aider, maintenant, n'est-ce pas ? dit-elle.

Scott avait vu nombre d'hommes reculer devant la sévérité de Margaret. Le seul capable de lui tenir tête, c'était son mari, l'oncle Paul, se remémora-t-il.

— C'est exact, répondit-il.

— Alors, autant en finir au plus vite.

Elle le précéda vers le fond du couloir, dans une petite pièce qui se révéla très encombrée. Un battant de porte posé sur des tréteaux de fortune — en réalité, des chevalets pour scier le bois — faisait office de table de travail. L'un des murs était entièrement couvert d'étagères métalliques grises remplies de livres, de dossiers, de journaux... qui débordaient jusqu'à sur le plancher. Deux lampadaires au pied de marbre avec abat-jour à l'ancienne s'incurvaient tels des vautours au-dessus du bureau. Derrière la porte, une malle cadenassée supportait d'autres piles de livres et des monceaux de papiers divers. Un carillon de verre soufflé cliquetait près de l'unique fenêtre...

L'unique élément du décor correspondant à l'image qu'avait Scott de Nicolette Bechet se trouvait sur le « bureau ». C'était une station de travail informatique d'un modèle très récent.

Nicki s'installa derrière, pêcha dans le fatras environnant un carnet à spirale ainsi qu'un stylo à bille, et regarda son visiteur.

— Navrée, dit-elle. Il n'y a qu'une chaise ici, et c'est la mienne.

Sa tension était palpable. Ses gestes évoquaient ceux d'un automate... Disparue, la maîtresse de maison impavide qui ne craignait pas de se colleter avec un charpentier. Intrigué par la métamorphose, Scott s'assit à même le sol, aux pieds de Nicki.

— Pas de problème. L'homme devrait toujours lever la tête pour regarder une femme. C'est une marque de respect. Et de prudence.

Il ponctua ces mots d'un sourire qui parut la contrarier.

— Le courant étant coupé pendant la durée des travaux, je ne peux pas allumer Sam. Alors...

— Sam ? répéta Scott.

Le froncement de sourcils de Nicki s'accentua. Elle désigna du menton son ordinateur et reprit :

— Je suggère que nous...

— C'est bien la première fois que je rencontre un ordinateur affublé d'un prénom.

Nicki tapota son carnet de la pointe du stylo tout en dardant sur lui un regard noir, le même regard que lui réservaient les bonnes sœurs, à l'école, quand il avait dérangé la classe.

— Eh bien, dit-elle, c'est fait. Voilà ce que...

— Sam comment ?

Elle se mordillait la lèvre, maintenant. Pour contenir sa colère, supposa Scott.

— Spade, répondit-elle avec un soupir.

— J'y suis ! Sam Spade, le détective privé ! A vous deux, vous retrouvez les personnes disparues...

— Vous êtes un rapide, monsieur Lyon. Je suis très impressionnée. A présent, pourrions-nous poursuivre ?

— Bien sûr.

Scott souriait. Il lui semblait que ce sourire n'avait pas quitté ses lèvres depuis le petit déjeuner. La gueule de bois avait passé.

— Elle devrait déposer un brevet, dit-il soudain.

— *Quoi ?*

— « La potion spéciale de Maman Riva, pour les lendemains de fête difficiles ».

D'un instant à l'autre, ce pauvre stylo se briserait net entre les doigts crispés de Nicki. Et cela n'adoucirait pas son humeur. Scott lui effleura la main.

— Vous êtes trop nerveuse. Serait-ce à cause de moi ?

Elle tressaillit et s'écarta.

— Parfaitement ! répliqua-t-elle. Les prédateurs sans scrupules m'irritent au plus haut point.

— Je serais donc un prédateur ?

— Vous êtes un Lyon, oui ou non ?

Scott soutint sans broncher le regard qui le défiait.

Ce patronyme, il l'avait payé toute sa vie, d'une manière ou d'une autre. Il était trop riche aux yeux de ceux qui l'étaient moins, trop radin pour ceux qui sollicitaient des subventions... On lui reprochait pêle-mêle ses privilèges, son pouvoir, sa chance insolente. Il mettait pourtant un point d'honneur à ne jamais tirer profit ni des uns ni des autres, depuis toujours. De la même façon, il avait renoncé une fois pour toutes à se justifier face aux suppositions malveillantes.

Aujourd'hui encore, il refusa d'entrer dans la querelle.

— Je suis heureux que vous ayez pu partir tranquille, ce soir-là, déclara-t-il calmement.

La réplique réduisit un moment la jeune femme au silence. Scott devina qu'elle se perdait en conjectures...

— Je n'arrive pas à comprendre quel était votre intérêt dans l'histoire, dit enfin Nicki.

Le tranchant de sa voix masquait mal la question sous-jacente. « Devinez, madame la juge », répliqua Scott en pensée.

— Margaret Lyon n'est pas une prédatrice, je vous le garantis, dit-il, ramenant la conversation sur la raison de sa présence en ces lieux.

Ou plus précisément, *l'autre* raison.

— Vous me voyez rassurée. A propos de votre tante, j'aimerais vous poser quelques questions. Ainsi, je pourrai lancer mes recherches dès la reprise d'activité de Sam.

Scott la renseigna de son mieux et s'engagea à lui fournir au plus tôt d'autres détails, comme le numéro de sécurité sociale de Margaret et la date de naissance de ses parents, qu'il obtiendrait de sa cousine Gaby ou à défaut de Leslie, la fille de Gaby. Cela suffirait-il à Nicki pour réussir là où tout le monde, famille et enquêteurs, avait échoué ? Rien n'était moins sûr. Cependant, Scott avait envie de revenir à Cachette en Bayou ; il se plierait donc volontiers aux demandes de la jeune femme.

Nicki ferma son carnet d'un geste sec et le laissa tomber sur sa table près du stylo. Scott se trouva de fait congédié, libre de retourner en ville et de regagner WDIX-TV et sa famille de chicaneurs...

— Pourquoi faites-vous ça ? demanda-t-il tout à trac.

— Quel rapport avec cette affaire ?

Scott se remémora le peu qu'il savait de Nicolette Bechet, grâce au scandale qui avait mis la jeune femme sur sa route, au tout début. Un père décédé d'une overdose, artiste de rue ou quelque chose de ce genre... Une enfance plus qu'instable... C'était cela qui la rendait si caustique. Son passé, et le rôle qu'il avait joué, lui, Scott Lyon, dans la révélation de ce passé au grand public.

— Aucun, répondit-il. Ça m'intéresse, c'est tout.

— Dans ce cas, je n'ai pas de temps à perdre, dit-elle en se levant. Vous avez peut-être remarqué que j'ai beaucoup de travail.

Sur ce, Nicki l'enjamba pour atteindre la porte restée ouverte et attendit, la main sur la poignée, qu'il sorte avant elle.

Scott décida de calmer le jeu.

— Je vous apporterai le reste des informations demain, dit-il en la rejoignant sur le seuil.

Là, ignorant le regard glacial de son hôtesse qui lui commandait de disparaître au plus vite, il marqua une pause, fasciné par le fouillis indiscipliné des boucles blondes. L'envie le brûlait d'y enfouir les doigts. De se couler dans la chaleur perceptible sous l'attitude distante qu'elle persistait à afficher...

— Un coup de téléphone suffira, monsieur Lyon.

— Le trajet en voiture ne me dérange pas...

— Ne me poussez pas à bout. Vous n'êtes le bienvenu ni sur mes terres ni dans mon existence. Je ne sais comment vous l'exprimer plus clairement.

— Dans ce cas... Puis-je vous embrasser pour vous dire au revoir ?

La rougeur monta aux joues de Nicki — signe de colère plutôt que de gêne, supposa Scott. Comme elle serrait le poing, il craignit un instant qu'elle ne le gifle.

Sa réplique fut plus perverse.

— Tout compte fait, dit-elle, je ne vais peut-être pas vous aider.

Scott comprit alors qu'il échouait à faire avancer sa

cause. A l'évidence, avec cette femme, la provocation n'était la stratégie la plus fine.

— Ce « non » vaut aussi pour le baiser ? répliqua-t-il sur le même ton.

— Ma carabine est encore chargée.

— Il s'agit donc d'un « non » catégorique.

— Ceci n'est pas un jeu, monsieur Lyon.

— En effet, confirma Scott en cessant de sourire. Ce n'est pas un jeu.

A ces mots, il vit Nicki exprimer de l'angoisse : elle venait juste de comprendre qu'il ne plaisantait plus. Flirter, Scott avait dépassé ce stade depuis longtemps.

Deux ans, pour être précis.

Désormais, Nicki savait comme lui qu'il la désirait. Et la nouvelle ne parut guère l'enchanter.

4.

Raymond Lyon contint un haut-le-cœur.

La nourriture de Chez Charles, le restaurant de son père, lui donnait toujours des aigreurs d'estomac, mais il gardait en général pour lui ses récriminations. Après tout, le repas était gratuit.

— Faudrait tout reprendre de zéro ici, embaucher un cuistot qui s'y connaisse, quand le vieux aura disparu, marmonna-t-il.

Il regarda son frère aîné, attablé en face de lui, s'essuyer les doigts sur une serviette immaculée en tordant le nez comme si une mauvaise odeur parvenait à ses narines. Alain ressemblait au vieux, avec cette manie agaçante de se comporter comme s'il était au-dessus du reste du monde. C'était sans doute un gène familial.

— Si tu faisais preuve d'un minimum de classe, Raymond ? murmura Alain.

Le prétentieux ! Ray se mordit la lèvre. En représailles, il aborda de front le seul sujet susceptible d'ébranler le sang-froid de son frère :

— Je l'ai déménagée encore une fois.

Alain promena le regard autour de lui. Il arborait encore une belle chevelure, avec cette touche argentée sur les tempes qui vous pose un homme, la cinquantaine venue. Lui, Raymond, n'avait pas encore quarante ans et le sommet de son crâne était déjà pelé.

Décidément, la vie était injuste.

— Pas ici, dit Alain.

— Dans l'Arkansas, reprit Ray en ignorant l'interruption. Comme ça, on pourra garder un œil sur elle.

— Comment va-t-elle ?

Ray haussa les épaules.

— A son âge… Comment veux-tu qu'elle aille ? D'un jour à l'autre, elle peut casser sa pipe. D'ailleurs ce serait peut-être une bonne…

— Il vaudrait mieux que cela n'arrive pas, coupa Alain de ce ton autoritaire qui donnait invariablement à Ray l'envie de se rebiffer.

— Ça pourrait drôlement simplifier les choses…

— Mais aussi exploser à la figure de certains, acheva Alain.

« La figure de certains, mais pas la tienne », lui renvoya son frère en pensée. Si leur petit complot venait un jour à être découvert, lui seul trinquerait, il le savait, alors même qu'Alain trempait dans cette histoire jusqu'à ses belles bretelles rouge vif.

Bon sang ! Quel rusé, ce type… D'une habileté redoutable… Ray, lui, ne serait jamais que le petit frère, l'abruti de service, comme c'était déjà le cas dans leur enfance.

— Tu disais toi-même qu'il ne fallait pas la laisser longtemps au même endroit !

— Personne ne t'avait demandé de la caser dans un dépotoir.

— Tu as idée des questions qu'ils posent, dans les

66

maisons de repos quatre étoiles ? C'est tout juste s'ils n'exigent pas tes empreintes et la signature du pape !

— D'accord, d'accord... Fais juste en sorte qu'il ne lui arrive rien.

Le serveur s'approcha pour leur resservir du café. Alain, bon prince, lui glissa quelques mots aimables avant que celui-ci ne s'éloigne vers la table voisine. Puis il replia sa serviette avec soin et planta les yeux dans ceux de Ray.

— Eh bien, si tu as terminé...

Le ton était nettement moins amène que celui qu'il avait employé vis-à-vis du serveur. Ray esquissa un sourire mauvais.

— Scott a mis les voiles, annonça-t-il de but en blanc.

Il savoura le trouble qui se peignit alors sur le visage de son frère.

— Que veux-tu dire par là ?

— Je veux dire qu'il a quitté la chaîne juste après la conférence de rédaction d'hier, et qu'il n'est pas revenu ce matin. Personne ne sait où il est.

Ray savait que la nouvelle ne manquerait pas d'inquiéter Alain. Scott ne faisait pas précisément partie de l'équipe dans le match qui les opposait à André. Alain n'en comptait pas moins sur lui pour diriger la chaîne le moment venu, lorsqu'ils en prendraient possession, sous prétexte que lui seul, parmi les quatre frères, connaissait le métier. Comme si Ray, qui travaillait depuis toujours à WDIX-TV, comptait pour du beurre ! Il imagina Scott bombardé directeur de l'information, ou pire, directeur général...

Un renvoi aigre lui brûla la trachée.

— As-tu vérifié à son appartement ?

— Je suis qui, moi, son concierge ?

Alain se rembrunit mais ne fit aucun commentaire.

— Le bruit court qu'il pourrait démissionner, ajouta Ray.

— Je lui parlerai. Histoire de lui mettre la pression.

A ces mots, Ray dissimula tant bien que mal sa jubilation. Scotty n'était vraiment pas le genre à céder sous la pression, au contraire. Plus Alain se ferait insistant, au nom de l'intérêt supérieur des Lyon, plus le gamin camperait sur ses positions. Avec un peu de chance, il finirait même par lâcher la famille pour de bon.

Pour Ray, c'était le scénario idéal — que Scotty se mette hors jeu. Juste au moment précis où le vent tournait à leur avantage. Voilà qui servirait ses plans à merveille... en lui laissant à lui, Ray, une plus grosse part du gâteau.

Juchée sur le toit en pente raide, Nicki maniait le pinceau avec une frénésie telle que des crampes menaçaient son bras droit. Elle était pourtant loin d'avoir terminé de repeindre les quatre lucarnes de la seconde aile de la maison. Deux couches de ce vert céladon au moins seraient nécessaires pour recouvrir l'affreuse teinte marronnasse choisie par un ancêtre au goût douteux...

Et comme par hasard, tous les occupants de Cachette en Bayou semblaient s'être donné le mot pour l'interrompre dans sa tâche.

— Nick-o !

Là, c'était T-John, qui se pencha par l'ouverture.

— Tu abîmes ma peinture, protesta Nicki.

Il baissa les yeux sur son T-shirt.

— Pas de tache en vue. Dis, tu as renvoyé le gars de la ville dans ses foyers ?

Nicki plongea son pinceau dans le pot de peinture.

— Absolument.

— On l'aime bien, nous...

— Pas moi.

— Bah ! Tu t'enfermes dans ta tour tous les soirs, de toute façon.

Comme Nicki secouait la tête sans mot dire, T-John émit un grognement fort peu respectueux.

— Moi je crois que tu apprécies beaucoup cet homme charmant. C'est même pour ça que tu l'as chassé vite fait, non ?

— Tu le trouves charmant ? Il est tout à toi, T-John. Débrouille-toi seulement pour qu'il reste loin de ma ferme !

— Bon, bon. Je voulais juste te présenter nos protestations officielles...

— Alors considère que c'est fait.

Nicki vit avec soulagement T-John disparaître dans la maison. D'accord, elle avait remarqué les beaux yeux gris de Scott et son profil élégant. Mais grâce à Dieu, elle n'était pas de celles qui tombent sous le charme du premier venu. La convoitise, très peu pour elle !

Apparut ensuite Michel, l'aîné des cousins.

— Un message pour toi ! lança-t-il. Tu deviens pénible. Nous sommes un certain nombre à vivre dans ce château, figure-toi, et tu ne détiens pas seule le droit d'abaisser ou relever le pont-levis ! Suis-je clair ?

Ce qui était clair, songea Nicki, c'était la rivalité larvée entre elle et Michel. Il lui enviait son pouvoir sur le clan — un pouvoir dont il se serait volontiers saisi au nom de son droit d'aînesse, et donc de commandement sur le reste des troupes. Nicki lui aurait volontiers cédé son bâton de maréchal, d'ailleurs... Sauf qu'il était trop prompt à décréter la bière obligatoire chaque jour pour tout le monde.

— Prends un pinceau, Mikie. Je suis tout à fait disposée à partager.

— Tu as une langue de vipère, sais-tu ?

— Tu as dû me le dire pour la première fois en 1984.

— Ah ? Eh bien, rien n'a changé depuis.

A Michel succéda Beau, qui lui tint sensiblement le même discours. Tony, pour sa part, s'abstint de se pencher par la fenêtre pour l'unique raison qu'il souffrait du vertige. En revanche, Toni rampa jusque sur le toit pour lui donner un coup de main. Ou plutôt distribuer quelques coups de pinceau avec une telle générosité de geste qu'elle aspergea de gouttes vertes et le toit et les murs.

— Il est sympa, lança la jeune fille, sans préambule, après un temps de silence bienvenu. Je ne m'en serais pas doutée, parce qu'il est riche et qu'il a du pouvoir... Mais c'est un type correct. Un peu réservé, mais sympa.

Nicki envisagea brièvement la possibilité que Scott se soit infiltré ici pour jouer les espions et exploiter ensuite toutes les informations glanées sur les Bechet pour un reportage à sensation. Mais l'hypothèse frisait la paranoïa, elle en avait bien conscience. Aussi n'en souffla-t-elle mot à Toni.

— Il est trop vieux pour toi, marmonna-t-elle.

— Evidemment ! Il a même des cheveux *gris*, tu te rends compte ? Non, je voulais juste dire… A mon avis, il n'a pas d'arrière-pensées.

— Naïve, répliqua sèchement Nicki.

— Je pense qu'il se sent seul, et qu'il a besoin de ton aide, Nicki.

Un silence gêné s'installa tandis que les deux jeunes femmes se replongeaient dans leur tâche. Nicki enrageait. Pourquoi est-ce que toute la famille semblait si prompte à adopter Scott Lyon ? Elle aurait dû se douter qu'il les charmerait tous, avec ses prunelles magnétiques… Qu'est-ce qui se cachait derrière ? Qu'avait-il en tête ?

— Faut que j'y aille, annonça Toni en essuyant son pinceau sur un chiffon. On répète à 15 heures. Un concert est prévu à Ponchatoula samedi soir…

— Vraiment ? Vous vous débrouillez plutôt bien, dis-moi !

Sa cousine haussa les épaules, mais elle avait l'air contente.

— Papa et maman n'apprécient pas trop de voir leur petite fille chérie jouer dans des clubs mal famés… Papa m'offre une année en Europe si je laisse tomber.

— C'est hors de question, je suppose ?

— Tu supposes juste.

Toni enjamba en souplesse l'appui de la fenêtre et se retourna.

— Tu sais, Nicki, je compte bien me caser un jour,

malgré tout. Avoir des enfants. Quand je serai trop vieille pour faire la fête.

— Se caser ou faire la fête... Il y a d'autres options dans la vie, Toni !

— Ouais. Je pourrais aussi faire comme toi.

Nicki leva vivement les yeux.

— Qu'est-ce qui te gêne dans mon mode de vie, au juste ?

— Eh bien, sans vouloir te vexer... Parfois, tu fais penser à un robot. Tu ne t'amuses jamais, on dirait... que rien ne te passionne. Tu vois ce que je veux dire ?

Nicki voyait très bien, et pour cause. La perspicacité de cette jeunette de dix-huit ans la laissa désemparée. Sa main se crispa sur le pinceau.

— Il faut bien que quelqu'un...

Elle se tut, chercha ses mots. Tout ce qui lui venait à l'esprit abondait dans le sens de Toni.

— Il faut bien que quelqu'un s'occupe de repeindre cette maudite maison !

— Mais si chacun participait... Imagine ! s'exclama Toni. On organise une grande fête de la peinture, T-John se met aux fourneaux et nous prépare un ragoût d'écrevisses pendant qu'on joue un peu de musique, et en un clin d'œil la maison...

— Toni ! On *ne peut pas* faire la fête en boucle !

Le pinceau de Nicki claqua sur le mur, éclaboussant à la fois son visage, le toit et le volet le plus proche.

— Tu as raison. Mais de temps en temps, on peut. Et à défaut d'être un modèle d'équilibre, je sais au moins de quel côté j'ai envie de pencher.

— A chacun ses différences, répliqua Nicki en détournant les yeux.

Elle s'efforçait de garder la voix ferme, dissimulant de son mieux sa consternation devant l'image de sa vie que lui renvoyait Toni. Une main se posa sur son poignet. Elle releva la tête et découvrit que sa cousine lui souriait, le regard empreint d'une compassion proprement insoutenable.

— Cela n'empêche pas de s'aimer, dit doucement Toni.

Nicki sentit ses défenses vaciller.

— Non, dit-elle, la gorge nouée. Cela n'empêche pas de s'aimer.

— Bon, cette fois, je me sauve...

Toni lui envoya un baiser avant de disparaître dans la maison.

Déprimée par cette conversation, Nicki s'assit à côté du pot de peinture et frotta les taches de peinture fraîche émaillant ses joues et son nez à l'aide d'un chiffon propre.

De ce perchoir, la vue portait loin sur les terres Bechet. Un fourré très dense d'arbustes bordait la clairière au centre de laquelle s'élevait la maison. La mousse espagnole se déployait sur les frondaisons, tel un voile protégeant la bâtisse et ses occupants des intrusions du monde extérieur. La quiétude palpable du bayou enveloppa Nicki, source, comme toujours, de réconfort et de paix.

Petite, chaque fois qu'elle parvenait à échapper à la surveillance de son père, elle filait s'asseoir sur ce toit, à peine arrivée à Cachette en Bayou. Ce nom seul exerçait sur elle une attraction puissante ; il chantait dans son imagination d'enfant tel un sortilège l'appelant sans relâche. Ici, elle se sentait en sécurité... Pas comme dans le Vieux Carré où elle avait grandi, abandonnée à quatre ans par une mère adolescente, qui l'avait laissée entre les mains de son musicien de père.

Rebelle, bohème, drogué... A cette époque, David Bechet n'était pas le seul, bien sûr. Mais les raisons de son attitude le distinguaient : il avait un irrépressible *besoin* de meurtrir sa propre mère.

Cela lui prenait tout son temps. Et il ne supportait pas que sa fille dérange sa vie d'artiste déjanté.

L'été il se mettait en tête de jouer dehors, sur un bout de trottoir, pour le bénéfice des touristes qui affluaient dans le Vieux Carré. Tandis qu'il enchaînait des solos lugubres au saxophone, Nicki avait pour mission de danser puis de passer dans la foule, un chapeau à la main. « Tu fais grimper les enchères », lui disait-il — d'un ton jovial les premiers temps, puis plus agressif parce qu'elle commençait à renâcler. Elle détestait le bruit, les bousculades, les relents âcres d'alcool et de dope — et surtout les regards qui se posaient sur elle. Ceux des femmes, pleins de pitié, et ceux des hommes, dont certains, aujourd'hui encore, lui faisaient froid dans le dos.

Alors, en dehors des périodes d'école — où elle trouvait refuge en classe —, elle avait pris l'habitude de fuguer. Le plus souvent pour chercher du réconfort chez sa grand-mère. Celle-ci, ignorant ses supplications, la renvoyait invariablement chez son père : « La place d'un enfant est auprès de ses parents », répétait Maman Riva avec constance.

Nicki avait cessé de supplier.

Mais pas de fuir...

Aujourd'hui, elle n'avait plus besoin de courir. Elle

habitait Cachette en Bayou, son refuge, son havre de paix. Elle ne demandait rien de plus à la vie.

Scott Lyon et sa chaîne de télévision n'étaient pas près de lui dérober ce trésor.

Dans le halo blafard des réverbères, la berline rutilante d'Alain Lyon contrastait avec autres voitures garées devant chez Scott. Et elle était au beau milieu du parking. Les règlements ? Ils valaient pour les autres. Alain Lyon ne s'en préoccupait pas.

Scott gagna son propre emplacement. Ce soir, il avait brillé par son absence au dîner — il n'était donc pas surprenant qu'Alain vienne lui demander des comptes. Le respect des usages familiaux restait une valeur essentielle chez les Lyon.

Encore aurait-il fallu s'entendre sur la branche de l'arbre généalogique privilégiée par chacun.

Il avait donc séché le dîner réunissant son père et ses frères, pour passer la soirée seul, à broyer du noir devant un film muet projeté dans l'une des grandes surfaces culturelles de la ville. Bar à cappuccinos, livres, casques pour écouter tous les CD disponibles en boutique… Rien n'était simple, aujourd'hui, pas même les librairies. Néanmoins, il avait savouré la quiétude de la salle de projection, et rapporté cette belle sérénité jusque chez lui.

Alors, il n'était pas question de laisser Alain la lui gâcher.

Comme il s'approchait de la voiture de son frère, la vitre teintée du conducteur s'abaissa dans un chuintement.

— On s'encanaille, Alain ? lança-t-il.

L'interpellé esquissa un sourire affable.

— Je m'assure que mon petit frère va bien, c'est tout. Nous sommes inquiets.

— Tout va bien.

— Tu te fais porter pâle au travail... et ce soir au dîner... Cela ne te ressemble pas, Scott.

Ne voyant pas l'intérêt d'éluder la question, Scott opta pour la franchise.

— Je suis las de ce travail... Ou plutôt, non, je suis las de vos chamailleries. Je ne tiens pas à les subir dans mon travail et encore moins pendant tout un dîner dans ce vieux musée lugubre où nous avons grandi.

— Tu sembles amer...

— Je le suis peut-être.

— Nous traversons tous une période difficile...

— C'est drôle. J'avais pourtant l'impression que vous vous amusiez comme des fous, Ray et toi, dans ce tissu d'absurdités.

— Nous devons faire front tous ensemble. La famille a besoin de toi, Scott.

Ce dernier s'abstint de rétorquer qu'André aussi faisait partie de la famille. Cela ne servirait à rien.

— Une fois le calme revenu, ajouta son frère, la chaîne aura elle aussi besoin de toi.

Ah.

Un sourire désabusé flotta sur les lèvres de Scott. Il s'expliquait mieux maintenant l'inquiétude d'Alain. Celui-ci aurait besoin de ses compétences le temps d'apprendre lui-même à diriger une chaîne de télévision. Les frères Lyon avaient la sale manie de soigner leurs relations en fonction du prix qu'ils leur accordaient — c'est-à-dire des avantages qu'ils pouvaient en retirer...

Il secoua la tête.

— Je ne crois pas. J'en ai assez soupé, de l'entreprise familiale.

— Allons, Scott, ne sois pas sot ! Que peux-tu faire d'autre ? Une fois la question judiciaire réglée, tu seras un élément précieux de l'équipe. Ne l'oublie pas...

— Je ne veux pas faire partie de ton équipe. Je ne veux pas entrer dans vos démêlés judiciaires. J'aimerais juste faire partie d'une *famille*. Mais cette option n'existe pas, apparemment.

— Tu dramatises un peu, non ?

Si Alain voulait du drame, Scott était disposé à lui en fournir.

— Je démissionne de la chaîne, déclara-t-il.

— Tu changeras d'avis, Scott.

— Vous vous débrouillerez très bien sans moi.

Là-dessus, Scott tourna les talons. Il était temps. La tranquillité d'esprit laborieusement acquise durant la soirée commençait à s'estomper.

— Tu ne pourras pas démissionner de la famille ! lança Alain dans son dos.

— On parie ?

Il déverrouilla la porte de sa villa mitoyenne et la referma derrière lui sans un regard pour le frère aîné qu'il adulait naguère.

Au rez-de-chaussée, il n'alluma que la petite lampe de lecture au coin du canapé. Sa lueur tamisée suffit à éclairer l'unique pièce à vivre, composée d'un salon en L et d'un coin petit déjeuner séparé de la cuisine compacte par un comptoir de bar à la surface de céramique blanc crème. Deux fauteuils confortables de cuir noir, une table au plateau de verre fumé, un meuble à étagères couleur bronze pour sa stéréo et un autre pour ses livres, le tout sur fond de papier peint à motifs dorés, reflétaient la sobriété de son quotidien. Il lança sa casquette sur le dossier d'un fauteuil, mit un de ses disques préférés et passa dans la cuisine pour se préparer du décaféiné.

Les harmonies classiques lui rendirent un peu de sa paix intérieure. Leur vibrato léger le ramena vers son enfance et ce temps béni où il n'avait pas encore conscience des dissensions familiales et de la super-cherie qu'était devenu le mariage de ses parents. Son père jouait toujours du classique au piano ; sous ses doigts, le clavier devenait enchanté. Comme sous les doigts d'Alain, à une époque...

Alain avait quinze ans de plus que lui et cette diffé-rence d'âge l'élevait naturellement au rang de héros. Grand communicateur, Alain appartenait à la meilleure association d'étudiants, les plus jolies femmes se bous-culaient autour de lui... Et puis, il apprenait toutes sortes de choses à Scott. Par exemple, que leur cousin André était un sournois, et qu'ils étaient très pauvres, en comparaison de cette branche-là de la famille. Tout cela, par la faute de la mesquinerie insigne du grand-père, Alexandre, coupable d'avoir spolié leur père de l'héritage qui lui revenait de droit.

A l'approche de l'adolescence, toutefois, Scott commença à mettre en doute certains détails de cette version de l'histoire familiale, qu'il jugeait assez injustes.

André n'était pas un sournois, au contraire ; il trouvait même davantage de temps à consacrer au jeune Scott, et d'encouragements à lui offrir, que n'importe quel autre membre de la famille, à l'exception de tante Margaret. Loin d'être pauvre, Charles Lyon tirait de son restaurant de confortables revenus mensuels… dilapidés en un rien de temps. Il acceptait alors sans trop de scrupules le soutien financier proposé par André et son père Paul. Quant à cette histoire de spoliation, c'était de la pure calomnie. Charles avait quitté WDIX, qui n'était alors qu'une station de radio, de son plein gré — après l'avoir menée au bord de la faillite.

Tels étaient les faits, recueillis par Scott au fil des années auprès de sa mère et d'autres parents proches. Mais jamais Alain, Raymond ni même Jason n'avaient laissé la vérité freiner leurs rancœurs ni leur détermination à mettre un jour la main sur l'entreprise familiale. Ainsi, en dépit de l'affection qui le liait à ses frères, Scott les haïssait aussi pour le mal qu'ils avaient fait à la famille.

La cafetière cessa de crachoter.

Scott remplit sa tasse favorite, ajouta un nuage de lait ainsi qu'une dose généreuse de cannelle et de sucre et l'emporta dans le salon, les paumes serrées autour de la porcelaine brûlante. La chaleur s'infiltra jusque dans sa poitrine tandis que la musique de Pachelbel lui délassait et l'esprit et le cœur.

Peut-être ouvrirait-il un livre. A moins qu'il n'éteigne tout à fait la lumière pour savourer son décaféiné dans un calme absolu, propice à la venue du sommeil…

Il s'apprêtait à s'asseoir lorsque tinta la sonnette de l'entrée.

Alain, encore… Qui d'autre que son frère pourrait lui rendre visite à cette heure tardive, à lui qui vivait en reclus, au point d'oublier parfois l'existence de cette fichue sonnette ?

Scott alla ouvrir à contrecœur.

Riva Bechet lui parut plus grande et plus droite que dans son souvenir.

— Vous êtes une autre femme, sans Perdu sur votre épaule, dit Scott.

Elle gloussa.

— C'est au contraire quand j'ai l'oiseau sur l'épaule, que la plupart des gens me trouvent très « différente », en général !

Elle portait un châle pourpre et violet sur un body noir et une longue jupe ornée d'un imprimé audacieux mêlant le vert, le jaune et le violet. Sous le foulard noir et or qui retenait ses cheveux, ses boucles d'oreilles turquoise étincelaient.

Ayant pris place dans l'un des deux fauteuils, elle accepta une tasse de café, les yeux fermés comme après une journée de travail harassante enfin terminée.

— Comme c'est charmant ! dit-elle en rouvrant les yeux. Masculin... mais confortable.

— Merci.

— Vous vous doutez que je n'ai pas fait tout ce chemin pour bavasser.

— Cela semble peu probable, en effet.

Riva sourit.

— En revanche, j'aurais pu me déplacer pour le seul plaisir de m'asseoir dans votre fauteuil... Ce cuir, quelle merveille ! Il est plus confortable que mon fauteuil à bascule. Pourquoi ne nous dit-on jamais ces choses, à nous, les ancêtres ?

Tandis qu'elle dégustait son café à petites gorgées,

Scott étudia son visage las, patiné par les ans. Il éprouvait un étonnant besoin de proximité avec cette femme et les siens.

— Vous allez devoir lui forcer un peu la main, c'est sûr.

Décidément, ce langage sans détour, auquel sa famille ne se laissait jamais aller, lui plaisait de plus en plus.

— Pourquoi ferais-je cela ? demanda-t-il.

— Parce que vous avez besoin d'elle.

— La famille Lyon a engagé un détective. Plus la police, le FBI... Je ne vois vraiment pas...

— Mais si.

Difficile d'argumenter avec Riva. Son regard semblait porter au-delà de Scott, vers des cibles qu'il ne parvenait pas encore à cerner.

— Elle aussi, a besoin de vous. Mais vous devrez insister.

— Si vous lui confisquiez sa carabine, d'abord ?

Riva se mit à rire.

— Je vous propose plutôt de conclure un marché avec elle.

— Quel marché ?

— Elle pose son fusil et vous aide pour Mme Lyon. En échange, vous l'aidez à réaliser son documentaire.

— Son *documentaire* ?

— C'est un rêve qu'elle a. Filmer les gens qui ont été abandonnés, enfants, par leur père ou leur mère, et qui recherchent ce parent.

Sur ces mots, la vieille dame se rembrunit. Elle fit silence, les yeux fixés sur sa tasse. Cette fois encore,

Scott eut l'étrange intuition que Riva contemplait des lieux secrets qu'il n'était pas autorisé à pénétrer.

Il attendit patiemment qu'elle sorte de son mutisme.

— C'est cela qui la motive, dit-elle enfin en relevant la tête. Le besoin d'aider ces gens, pour que leurs plaies se referment.

Le bref silence qui suivit cette déclaration parut à Scott lourd de sens. Il lui sembla même percevoir comme un écho...

« Pour que les plaies de *Nicki* se referment. »

Bien que pressé d'en apprendre davantage, il ne poserait aucune question. Riva lui en avait déjà dit plus que ce que Nicki était prête à lui confier. Le reste, il l'entendrait de la bouche de la jeune femme. Encore faudrait-il pour cela réussir à gagner sa confiance...

Ce serait difficile. Scott ne se faisait aucune illusion sur ce point. Il pensa au père de Nicki, mort dans des circonstances tellement glauques... Y avait-il autre chose ?

Mais d'abord, de quel droit irait-il exhumer ces vieilles histoires, fût-ce pour le bien de Nicki ?

— C'est donc si important pour elle ? s'étonna-t-il. Au point de l'amener à conclure un pacte avec le diable ?

— Vous êtes le diable ? répliqua Riva.

— Nicki en est persuadée.

Riva posa sa tasse vide sur la table et se drapa dans son châle.

— A vous de voir, dit-elle. Vous êtes un jeune homme intelligent. A présent, pardonnez-moi, mais il se fait tard. Si mes petits-enfants s'aperçoivent que j'ai filé en douce en pleine nuit, ils comprendront que je ne suis pas si chétive et me demanderont de leur préparer chaque soir à dîner. Hors de question !

Scott la raccompagna jusqu'au taxi qui l'attendait au bout de la rue, tout en lui proposant de la ramener lui-même à Cachette en Bayou. Mais elle lui apprit alors que le taxi n'était pas en service. Le chauffeur était un vieil ami qui traitait Riva Bechet comme une reine... Elle était entre de bonnes mains.

— A demain, lui lança-t-elle avant qu'il ne ferme la portière.

Lutter.

Elle devait lutter, mais... contre qui, contre quoi ? Impossible de le savoir.

Autour d'elle, tout était si sombre. Et froid. Une atmosphère déplaisante. Elle se sentait faible, fragile... Pour la première fois de sa vie, elle manquait de confiance...

— Mon nom... marmonna-t-elle dans le noir.

— Qu'y a-t-il, ma chère ?

La femme avec l'aiguille.

Voix affable, mains douces. L'aiguille, elle, piquait, avant d'apporter l'oubli.

Elle tenta en vain de se tortiller pour l'esquiver. Ses forces l'abandonnaient. Ce n'était pas l'oubli qu'il lui fallait, mais des réponses...

La voix affable aux mains douces quitta la chambre.

Elle était de nouveau seule.

Le mot qu'elle cherchait lui revint d'un coup.

— Margaret, souffla-t-elle.

Mais déjà, le sens de ce mot fuyait sa mémoire. Pourquoi avait-elle un besoin aussi urgent de le prononcer ?

Et puis, quelle importance… Elle le sentait, *lui*, présent à ses côtés. Paul. Comme un soutien. Une force.

« Emmène-moi avec toi », prièrent en silence ses lèvres desséchées dans la pièce vide.

Trop tôt. Le moment n'était pas encore venu. Mais il resterait là, il attendrait ce moment avec elle.

Des larmes lui nouaient la gorge. Elle ne comprenait plus rien. Elle était si fatiguée de lutter.

Lâcher prise… Le doux rêve…

5.

Le téléphone raccroché, Nicki sentit son euphorie se muer très vite en une triste lassitude. Comme chaque fois qu'elle réussissait à réunir un enfant né sous X et son parent biologique.

Certes, l'appel de Susan McKee lui avait fait plaisir. Toute joyeuse, Susan venait de retrouver sa mère après trente-sept ans de séparation. A lui seul, ce succès justifiait la mission que s'était fixée Nicki, et les heures interminables passées à suivre des pistes douteuses, le plus souvent insignifiantes, à s'user les yeux à longueur de journées sur l'écran de l'ordinateur.

Et même lorsque les retrouvailles tournaient court, la satisfaction dominait. Dans la voix de ses interlocuteurs, elle entendait le soulagement d'avoir au moins pu clarifier des questions douloureuses sur leurs origines et leur identité…

Mais Nicki, elle, restait seule. Le cœur vide et l'âme en détresse. Face à un nom qui dansait devant ses yeux — *Debra Brackett. Née le 18 septembre 1948. Deuxième fille de Delmar et Alma Brackett de Lawndale, Mississippi. Mariée en 1970 à Eddie Miller ou Millner. Dernière adresse connue : Oneonta, Alabama, 1973.*

Elle fixa obstinément son écran pour contenir son envie de regarder le vieux Polaroïd collé sous le clavier. Sur le cliché fané, les couleurs avaient passé, ce n'étaient plus les vraies, à supposer qu'elles l'aient été un jour... Cela n'avait pas d'importance. Elle connaissait l'image comme si elle l'avait peinte.

Assise sur un banc d'Audubon Park, une très jeune femme — Debra Brackett, dix-huit ans, selon le père de Nicki — tenait sur ses genoux un bébé à la mine renfrognée. Le visage de l'adolescente était grave, ses traits tirés. Ses cheveux blonds et lisses lui tombaient sous les épaules. Elle avait le nez mince, peut-être un peu trop long. Son regard se perdait dans le vague, vers un ailleurs mystérieux.

Cet ailleurs, elle l'avait rejoint deux ans plus tard, abandonnant Nicki derrière elle.

Nicki se mordit la lèvre. Pour se distraire, elle jeta un coup d'œil au formulaire suivant.

Margaret Hollander Lyon.

Elle fourra la feuille sous la pile.

C'était toujours la même chose. A peine avait-elle mené à bien une enquête qu'elle s'embourbait dans les sables mouvants de ses propres angoisses. Sa mère continuait de lui filer entre les doigts. Où se cachait Debra Brackett Miller ? Agée d'à peine plus de cinquante ans, elle devait être encore en vie. Peut-être même avait-elle donné à Nicolette un demi-frère, une demi-sœur...

Et si le sommeil la fuyait, certaines nuits ? Si la nostalgie prenait cette femme à la gorge, comme elle prenait Nicki ?

— Alors, murmura celle-ci presque à son insu, viens donc me chercher !

Après tout, les Bechet n'étaient pas difficiles à trouver.

Seulement, de toute évidence, Debra Brackett ne voulait pas la revoir. Ou bien elle s'était construit un autre foyer et ne souhaitait pas ébruiter ses années à La Nouvelle-Orléans. Nicki était la trace de son passé, un sale petit secret relégué dans l'oubli...

Nicki se leva d'un bond et repoussa sa chaise d'un geste rageur. Elle détestait ces plongeons dans la déprime, détestait s'apitoyer ainsi sur son sort, détestait l'inconsciente qui l'avait rejetée en la confiant à un géniteur en dessous de tout !

Quittant précipitamment le bureau pour ne pas étouffer entre ses quatre murs, elle sortit de la maison et prit la direction du ponton.

Elle s'éloigna du vacarme des travaux, des cris et des rires des ouvriers, de la conversation animée de tante Simone et Maman Riva. Ce qu'il lui fallait, c'était la compagnie apaisante de la nature.

Arrivée sur la berge du marais, elle s'absorba un moment dans la contemplation d'un couple d'aigrettes à l'immobilité sereine, presque surnaturelle. Puis un vison sortit du bois pour se chauffer dans une flaque de lumière. Nicki ferma les yeux, à l'affût de la musique propre au bayou — mosaïque de sons originels, indéfinissables, assourdis par la brume, dont le cantilène l'émouvait davantage que jazz et zydeco réunis...

Un bruit de pas, derrière elle. Des rameaux, des feuilles écrasées sur le chemin...

Sa belle sérénité se dissipa dans l'instant.

Les pas firent bientôt craquer sous leur poids les planches du ponton. C'étaient ceux d'un homme — un homme que Nicki identifia sans peine parmi la petite armée de cousins, de charpentiers, d'électriciens et de plombiers s'activant en ce moment même à Cachette en Bayou.

— Je vous apporte les informations qui vous manquaient. Sur Margaret.

Cette voix charriait les mêmes tonalités apaisantes que le doux chuchotement de la nature. Et pourtant, Nicki éprouva une tension immédiate en l'entendant. Scott Lyon, bien sûr...

— Je croyais que vous aviez compris, dit-elle sans se retourner : j'ai changé d'avis.

— Je suis là pour vous faire revenir sur cette décision.

Il vint s'asseoir en face d'elle, le bras posé sur un genou fléchi en une pose nonchalante. Une casquette ballait au bout de ses doigts. De longs doigts, nota la jeune femme, aux ongles nets et soigneusement entretenus.

« Méfie-toi des hommes qui ont les mains propres », lui recommandait souvent son cousin T-John avec un sourire espiègle. Lui-même, bien entendu, était un maniaque de la propreté.

— Vous n'y arriverez pas, répliqua-t-elle, résolue à ne pas se laisser déstabiliser.

— Si nous faisions un marché ? Je vous aide, vous m'aidez.

— Je n'ai pas besoin de votre aide.

— Ce n'est pas ce qu'on m'a dit.

— On vous aura mal renseigné.

Si seulement il ne la fixait pas avec une telle intensité ! Nicki changea discrètement de position tandis qu'une chaleur soudaine inondait son corps. A la différence de tant d'autres hommes, dont le regard s'attardait sur ses lèvres ou ses seins pour les jauger avec une impudeur révoltante, Scott Lyon ne sondait que ses yeux, comme s'il avait le pouvoir de pénétrer au-delà, jusque dans son âme.

Or, personne n'allait aussi loin avec Nicki Bechet.

— J'ai une caméra vidéo, dit-il. J'ai aussi accès à une salle de montage, et je connais quelques personnes qui pourront vous être utiles pour diffuser votre documentaire.

A ces mots, Nicki sentit la colère enfler. Sa grand-mère ! La traîtresse… Ravalant un juron, elle bondit sur ses pieds.

Scott, lui, ne broncha pas.

— Je vous aide à réaliser votre documentaire, vous m'aidez à retrouver ma tante, reprit-il imperturbable.

Mon Dieu… En dépit de tout, la tentation était grande… Nicki le voyait déjà à l'antenne, ce documentaire. Il touchait le cœur des téléspectateurs, offrait enfin un espoir aux enfants séparés de leurs parents… Des bribes d'un récit en voix-off, à l'appui des plans serrés sur les visages des personnes interviewées, caracolaient déjà dans sa tête… Mais en pratique, elle ne possédait ni l'expérience ni les moyens pour faire exister ce projet qui lui tenait tant à cœur.

Et voilà que Scott Lyon lui offrait son aide !

— Non, répondit-elle pourtant en détournant les yeux.

« Maintenant, va-t'en, s'intima-t-elle. Tout de suite ! »

Mais elle n'en fit rien. Comme prise dans la glu, elle

attendit, guettant la réaction de son adversaire. Qu'allait-il imaginer, maintenant, pour la convaincre ?

Scott se leva à son tour, sans hâte. Il était grand, dépassant le mètre quatre-vingts, mais moins massif d'épaules que ses cousins. Le cœur de Nicki battit soudain un peu plus vite.

— Quel est le vrai problème, dites-moi ? s'enquit-il de sa voix mélodieuse qui n'avait rien perdu de sa douceur.

Entre cousins Bechet, la même conversation aurait tourné à l'aigre, voire aux insultes. Chacun aurait quitté le terrain, furibond et prenant la terre entière à témoin de ses droits bafoués...

Scott Lyon était différent. Il se comportait d'une manière atypique, qu'elle ne savait comment appréhender.

— Je n'aime pas votre famille ! répliqua-t-elle, haussant le ton en réaction au calme obstiné qu'il affichait. Elle a foulé aux pieds la mienne, et vous avez le culot de venir jusqu'ici solliciter mon aide ! Voilà le problème !

— Ce n'est pas ça, murmura-t-il, la voix si suave que Nicki eut envie de le pousser dans le marais.

— Quoi ? Vous osez me contredire !

« Va-t'en ! » répétait avec constance la voix de sa conscience. Pourtant Nicki se trouvait toujours incapable de lui obéir. Clouée sur place, elle attendait...

Scott s'approcha. Bientôt il fut si près qu'il parut absorber tout l'oxygène disponible alentour. Nicki se surprit à haleter.

— Il y a autre chose, insista-t-il. Pourquoi ne me dites-vous pas ce que ce que c'est ?

Elle le sentait vibrer, lui, sa chaleur, sa puissance virile... Et ces vibrations s'insinuaient sous sa peau, l'emplissaient toute, la submergeaient. D'un instant à l'autre, il la toucherait. Elle en avait la certitude — et même l'envie, comprit-elle avec effroi. Elle le laisserait faire. Laisserait cette chaleur et cette force l'envelopper... Alors, il aurait gagné.

Jamais !

La colère céda pour faire place à un sentiment proche de la peur. Nicki esquissa un mouvement de recul, mais elle ne fut pas assez prompte. Scott referma la main sur sa nuque et fondit sur sa bouche.

Le cœur de Nicki éclata dans sa poitrine.

Ces lèvres tendres, aussi tendres et chaudes que le vison assoupi dans sa flaque de soleil, l'invitaient à s'ouvrir, à reconnaître son désir... La tête lui tourna. Son corps fondait sous l'assaut et elle n'avait aucun moyen d'empêcher cela. L'envie de plier contre le torse, contre le ventre de cet homme, était la plus forte. Une langue moelleuse se fraya en douceur un chemin entre ses lèvres tandis qu'un bras l'enlaçait fermement, comme pour la soutenir. Nicki lâcha prise. Pour la première fois de sa vie, elle fut certaine d'avoir trouvé sa place en ce monde...

Ce bien-être absolu ne dura qu'une fraction de seconde. Son cœur débordait sous l'afflux d'émotions qu'elle devait rejeter coûte que coûte. D'une secousse, elle se dégagea. Scott ne chercha pas à la retenir.

Avec un mélange de défi et d'appréhension, Nicki redressa la tête, guettant sur son visage les signes d'une suffisance toute masculine...

Elle en fut pour ses frais.

— Cela non plus, ne me fera pas changer d'avis, affirma-t-elle, le souffle court.

— Je sais. Mais j'étais attiré par vous il y a deux ans, et rien n'a changé aujourd'hui. Je pense que c'est cela, qui vous porte à fuir.

— Vous dites n'importe quoi !

Nicki tourna prestement les talons et regagna la maison au pas de course.

Scott ne se trompait pas. Oui, le désir qu'elle inspirait à cet homme l'emplissait de crainte. Mais celui qu'elle éprouvait à son égard se révélait tout bonnement terrifiant.

Il n'était pas reparti.

Les cousins avaient suspendu la grande marmite noire au-dessus d'un feu de camp devant le cabanon, et mis l'eau à bouillir. Bientôt y furent jetées des palanquées de crevettes et d'écrevisses agrémentées d'épices piquantes et de gros quartiers d'ail et d'oignons. Le tout fut dégusté sans façon avec les doigts, accompagné de pain français croustillant et de bières prélevées à mesure dans une vieille baignoire remplie de glace à ras bord. On rit beaucoup, on improvisa plus encore sur les guitares et les banjos…

Nicki s'abstint de participer. Elle se fit réchauffer un peu de soupe, la versa dans un bol et la regarda fixement jusqu'à ce qu'elle ait complètement refroidi.

Ce baiser lui avait broyé le cœur.

Elle avait eu des amants, par le passé. Mais jusque-là, les relations nouées avec eux suivaient une règle précise, établie par elle et qu'elle était parfois seule à connaître

— la carrière passait avant tout, l'intimité se bornant à un rapprochement des corps dont les sentiments étaient exclus d'office. Jamais Nicki n'avait remis en question le bien-fondé de cette règle, et pour cause : tous ceux dont l'amour lui importait l'avaient rejetée.

Sa mère, qui avait pris la fuite en prenant soin d'effacer ses traces...

Son père, occupé à noyer ses rancœurs dans la frivolité et les paradis artificiels...

Maman Riva, qui la renvoyait impitoyablement chez son père... Et Steve Walthan...

Steve. Un de ses professeurs de droit de seconde année, parmi les plus respectés. Sa stabilité financière comme son équilibre affectif ne pouvaient que séduire une jeune femme aussi anxieuse que Nicki de trouver un repère fixe dans sa vie.

Hélas ! ils n'évoluaient pas dans le même monde. Une relation suivie avec une Cajun ne présentait pour Steve aucun intérêt. Bien entendu, celui-ci était trop policé, trop prudent pour l'exprimer en termes si crus mais, même fragile et naïve comme elle l'était à vingt-deux ans, Nicki ne pouvait se leurrer bien longtemps.

Aujourd'hui, avec Scott, la vérité s'imposait à elle avec la même force d'évidence. Auprès d'une fille comme elle, jamais un Lyon ne chercherait autre chose qu'une aventure passagère.

Nicki fut interrompue dans ses rêveries moroses par Riva, qui pénétra dans la cuisine par la porte donnant sur la terrasse.

— Je croyais que le courant avait été rétabli, dit-elle en tendant la main vers un interrupteur.

La lumière envahit le salon.

— Ah ! dit Riva, tu ruminais exprès dans le noir...
Nicki ne pipa mot.

Riva se défit de son châle, qu'elle lança sur le dossier d'une chaise. Puis elle s'approcha du buffet pour se servir un doigt de curaçao.

— Un dernier verre avec moi, ça te dit ?

— Maman, pourquoi tiens-tu autant à ce que je trouve Margaret Lyon ?

Au lieu de déguster sa liqueur à petites gorgées, Riva la lampa cul sec comme elle l'eût fait d'une dose de whisky et s'en versa une autre avant d'aller s'asseoir.

Elle n'avait toujours pas regardé Nicki, encore moins répondu à sa question.

Celle-ci insista.

— Quel lien as-tu avec les Lyon ?

— Tu ne m'as pas fait prêter serment. Suis-je tenue de parler ? répliqua sèchement sa grand-mère.

— Ce serait donc différent, si je te faisais jurer ?
Pas de réponse.

Pourquoi tant de mystères ? s'étonna Nicki. Cette attitude était d'autant plus surprenante que Riva Bechet avait érigé la franchise en règle absolue, quitte, parfois, à choquer son monde.

— Tu es ma petite-fille, dit enfin Riva, en faisant tourner la liqueur dans le fond de son verre, et tu vis sous mon toit. Ce n'est pas trop te demander, il me semble, que de faire cette chose somme toute assez simple parce que je te le demande.

Sur ce, elle quitta la pièce, son verre à la main, éteignant la lumière au passage.

Nicki se retrouva dans le noir. Et le silence.

94

Le ventre plein, les papilles comblées, Scott était satisfait. Il s'était cantonné à deux bières, la compagnie était charmante et, cerise sur le gâteau, un peu plus tôt dans la journée il avait tenu Nicolette Bechet dans ses bras et l'avait embrassée.

Qu'est-ce qu'un homme pouvait souhaiter de mieux ?

Toni et Tony avaient sorti leurs instruments de musique. Ils lui avaient déjà proposé de rester dormir au cabanon. Cette fois, il était bien décidé à ne pas abuser de l'alcool. La fraîcheur nocturne et l'atmosphère si particulière des berges du bayou suffisaient à son bonheur.

Il était aussi très doux de savoir Nicki si proche.

Ses fantasmes allaient bon train. Il se voyait forçant la porte de sa chambre pour la couvrir de baisers ardents auxquels elle ne résisterait pas, ou pour la désarmer avec son charme ravageur. Ils veilleraient tard dans la nuit et se confieraient tous leurs secrets. Nicki serait impressionnée qu'il sache si bien la comprendre, et compatir. D'ailleurs, elle aurait oublié depuis longtemps qu'il était un Lyon.

Lui-même ne détestait pas l'oublier de temps à autre, en particulier lorsqu'il se trouvait à Cachette en Bayou.

— Tu es bien silencieux, lui dit Marilou, la petite amie de Michel.

— Oui, c'est vrai.

— Quelquefois, il n'y a pas moyen de placer un mot tant il y a de monde !

— J'ai l'habitude, dit Scott en souriant.

— Juste. Tu viens d'une grande famille, toi aussi.

Il hocha la tête, jugeant superflu de préciser que

les points communs entre leurs clans respectifs s'arrêtaient là.

— Hé ! Regarde qui voilà ! s'exclama soudain la jeune femme.

Il suivit son regard vers le bois, de l'autre côté du feu de camp.

Assise en retrait, sur un tronc couché, Nicki le regardait.

— Mademoiselle ne vient jamais se dévergonder avec nous, chuchota Marilou. Elle détonne, dans la famille. Qu'est-ce que tu vas bien pouvoir en faire ?

— Je l'ignore, soupira-t-il en se levant, mais je vais le découvrir de ce pas.

— Bonne chance ! lança Marilou en riant.

Il contourna par l'arrière le cercle des noceurs. Aucun d'eux ne parut noter son mouvement, pas plus que l'apparition de Nicki.

A peine assis sur le tronc à côté d'elle, il comprit, à la façon dont elle se raidit, que sa proximité la gênait. Ni l'un ni l'autre ne souffla mot. La musique était lancée, mais sans les micros ni les amplis, elle n'interférait pas avec la conversation, ici, près du bois.

— Vous voulez danser ? proposa-t-il.

— Je vais le faire : rechercher votre tante.

Il apprécia l'assurance qu'elle affichait. Parce qu'il tenait à retrouver Margaret, bien sûr, mais aussi parce que ce bel aplomb professionnel rendait plus faciles à accepter ses tergiversations dans des domaines plus… intimes.

— Merci. Je produirai votre documentaire.

— *Je* le produirai, rectifia-t-elle. Vous, vous tiendrez la caméra.

— Vous ne connaissez rien à la production.

— Je sais le résultat que je veux obtenir.

— Et quel est-il, au juste ? D'où vous vient cette vocation à retrouver les personnes disparues ?

Nicki pinça les lèvres.

— Bien sûr, répliqua-t-elle, glaciale, il est difficile pour un Lyon de comprendre le désir d'aider autrui... Mais pour certains d'entre nous, c'est tout naturel.

— Vraiment ?

Elle ne répondit pas.

— D'accord, laissez-moi vous aider, dit Scott en lui tendant la main. Partenaires ?

— A une condition.

— Une seule ? s'étonna-t-il en souriant.

— Associés en affaires. Pas camarades de jeux. Nuance.

Scott fit mine de soupeser cette condition. Puis il se leva, aida Nicki à se remettre sur ses pieds et l'attira contre lui pour l'entraîner en rythme avec la musique.

— J'ai dit...

— Partenaires pour une danse, coupa Scott.

Le corps de Nicki se coula entre ses bras comme si c'était sa place naturelle. Quelques mèches lui brossèrent la joue tandis qu'ils ondulaient ensemble. Il se remémora le goût de ses lèvres, et ce seul souvenir le rendit fiévreux.

— Pas camarades de jeux, répéta-t-elle à mi-voix.

La danse s'acheva trop tôt. A aucun moment, Nicki ne s'était franchement détendue dans ses bras.

Elle ne sembla pas non plus remarquer qu'il n'avait rien promis.

6.

Peu doué, d'habitude, pour se raconter des histoires, Scott se débrouillait plutôt bien ce matin-là.

Assis sur un fauteuil grossièrement taillé dans le bois, sur la terrasse de Cachette en Bayou, il savourait les premiers rayons du soleil tout en s'autorisant à croire que sa nouvelle vie venait de commencer.

Depuis qu'il avait remis sa lettre de démission chez WDIX-TV, trois jours plus tôt, il gagnait officiellement sa vie comme producteur indépendant. A la vérité, il avait passé l'essentiel de son temps avec Donnie. Son voisin et ami exerçait la profession de pasteur avant que son épouse ne le quitte, le laissant à la dérive et incertain du bien-fondé de son choix de vie ; aujourd'hui, Donnie coordonnait le travail des bénévoles pour le compte de plusieurs agences de services sociaux de la ville. Ce matin, après des heures passées à servir le *gombo* à la soupe populaire, Scott avait pris sa décision sur un coup de tête. Dédaignant les messages laissés par divers Lyon sur son répondeur, il avait rempli un sac de voyage de jeans et de T-shirts, fermé sa porte à clé et laissé une brève note à l'intention de Donnie.

Il prendrait les cousins Bechet au mot, et accepterait

leur invitation à séjourner à Cachette en Bayou pendant une durée indéterminée.

Son chez-soi, pour le moment, c'était donc le cabanon niché à quelques centaines de mètres de là, où chacun serait le bienvenu à toute heure du jour. Scott considérait les Bechet comme sa véritable famille.

Il dégusta son café, attentif aux sons légers montant du bayou, hésitant à prendre un dernier croissant dans le lot de viennoiseries préparées par T-John avant son départ pour New Iberia. Le chien Milo s'était niché contre lui dans le fauteuil. T-John allait lui manquer. Néanmoins, il se réjouissait par avance à la pensée de se glisser ce soir dans le lit — un vrai lit — désormais vacant dans le cabanon...

« Quel bonheur de vivre ici ! » songea Scott en laissant le croissant fondre dans sa bouche.

Derrière lui, la porte grillagée s'ouvrit puis se referma.

Un peu de sa béatitude s'évapora instantanément. Il savait qui venait de sortir de la maison. Il le devinait rien qu'à la façon dont l'air humide se chargeait soudain d'électricité. Même Milo avait soulevé une paupière et dressé l'oreille.

Nicki...

Aussitôt l'imagination de Scott flamba. La jeune femme lui résistait ? A force de patience, il saurait juguler ses réticences, la faire succomber ; il allait l'arracher à ses démons. N'était-ce pas ainsi que procédaient les héros de cinéma ?

— Du nouveau ? demanda-t-il.

Nicki s'assit en face de lui en secouant la tête. Ses cheveux, encore humides de la douche, ondulaient librement sur ses épaules moulée dans une combinaison de travail d'un blanc pour le moment immaculé. Scott se remémora la première fois qu'il l'avait vue. Tailleur chic, chignon sévère. Au cœur des bayous résidait bien le secret des plus étonnantes métamorphoses...

— Quelqu'un a-t-il vérifié du côté des Hollander ? s'enquit la jeune femme en se servant du café. Margaret Hollander Lyon. Il doit rester des Hollander... Qui sont-ils ? *Où* sont-ils ? Ils savent peut-être quelque chose.

Nicki attaquait chaque journée penchée sur son clavier, à nourrir son ordinateur d'informations et à fouiller des bases de données en quête de pistes susceptibles de la mener à la Reine de Fer. Elle connaissait toutes les astuces des détectives. Ces compétences lui avaient été transmises par un privé employé dans le cabinet juridique où elle-même avait exercé un temps. Au cours des quatre dernières années, elle avait, selon ses dires, résolu plus de soixante cas de disparitions...

Jusqu'ici, néanmoins, ses recherches pour Margaret n'avaient rien donné.

Scott se frotta le front.

— Les Hollander ? Je sais peu de chose sur eux. Le père de Margaret est décédé il y a longtemps, avant même le démarrage de la chaîne de télévision... Je l'ai appris récemment, grâce au dossier constitué par ma cousine Leslie sur l'histoire de la famille cet été, à l'occasion du cinquantième anniversaire de la création de WDIX-TV.

— Un dossier ? Sur l'histoire de votre famille ?

Il vit une étincelle s'allumer dans les yeux cristallins de Nicki et sentit son propre intérêt s'éveiller aussitôt.

— Sa mère a dû mourir dans les années cinquante, ajouta-t-il. Et, à ma connaissance, Margaret est fille unique.

— Je veux voir ce dossier.

— Je ne pense pas qu'il vous sera très utile… Mais nous devrions pouvoir le récupérer.

— Bien. Avec un peu de chance, nous dénicherons un quatrième cousin au septième degré mécontent de son sort, persuadé que Margaret aurait dû se montrer plus généreuse à son égard.

— Mais… Cela impliquerait que…

— Un enlèvement n'est pas exclu. Aucune autre éventualité ne prévaut, pour le moment.

— Personne n'a réclamé de rançon, objecta Scott.

Il avait entendu parler, dans la famille, d'importantes sommes d'argent prélevées sur le compte en banque de tante Margaret au cours des premières semaines ayant suivi sa disparition. Selon Teresa, la jeune nièce de Scott, le bruit courait que Crystal Jardin Tanner, directrice financière de Margaret, qui l'avait prise sous son aile, avait tenté de frauder le fisc. Et qu'elle avait voulu tromper son monde en prétendant avoir reçu un coup de téléphone de Margaret. Toutefois, en discutant avec Crystal, Scott avait tout de suite compris que ce mystérieux appel l'avait, en fait, terriblement bouleversée.

Et puis, il connaissait bien Crystal : il ne l'imaginait pas une seconde impliquée dans la disparition de Margaret. En revanche, il envisageait très bien qu'Alain et sa clique cherchent à nuire à la jeune femme en la plaçant au cœur d'immondes ragots.

102

— En êtes-vous certain ? insista Nicki. Vous n'êtes peut-être pas au courant de tout...

— Certains secrets sont difficiles à garder. Surtout dans une famille dont le métier consiste à les déterrer.

— Soit, concéda Nicki. A présent, admettons qu'elle se soit éclipsée de son propre chef... Pourquoi l'aurait-elle fait ?

Bonne question. Scott avait croisé sa tante à l'enterrement de l'oncle Paul, bien entendu... Mais avec la frénésie d'activité qui avait entouré les festivités de juillet chez WDIX-TV, c'est à peine s'il avait eu le temps d'échanger quelques mots avec elle en privé depuis le printemps...

Ce constat l'emplit d'amertume.

— Son mari venait de mourir, dit-il, reprenant à son compte l'hypothèse soutenue par les petits-enfants de Margaret. Ils étaient mariés depuis cinquante ans. Je suppose qu'elle aurait pu, simplement...

Scott se tut, conscient que ce raisonnement ne tenait pas la route. Nicki afficha une moue sceptique.

— Donc, dans son chagrin, cette femme de quatre-vingts ans s'en va, renonce à tous ses biens ou presque et ne donne plus signe de vie pendant... Combien, maintenant ? Plusieurs mois ?

— Elle a soixante-dix-sept ans, rectifia Scott sur la défensive.

Nicki leva les yeux au ciel.

— D'accord, se reprit Scott. Je me rends. Cette hypothèse n'est pas très convaincante.

— Je ne vous le fais pas dire. Vous êtes sûr qu'aucun membre de votre charmante famille ne l'a enterrée dans sa cave ?

La remarque insidieuse, prononcée de surcroît sur un ton désinvolte, énerva Scott. Il s'aperçut toutefois, pour son plus grand chagrin, qu'il ne pouvait répondre des siens à cent pour cent.

— Non, concéda-t-il de mauvaise grâce en détournant la tête. Je ne suis sûr de rien.

Il sentit que Nicki le dévisageait avec intensité, mais ne put se résoudre à croiser son regard. Lorsqu'elle reprit la parole, la douceur de sa voix le surprit. C'était peut-être la première fois depuis leur rencontre qu'elle s'adressait à lui sans animosité.

— Eh bien, dit-elle, c'est une amorce de piste.

Un ange passa.

Nicki laissa l'hypothèse de l'enlèvement planer entre eux, lui laissant le soin de rompre le silence, à la manière d'une journaliste aguerrie face à un interlocuteur hésitant... ou de l'excellente avocate qu'elle avait dû être avant de devenir juge.

Seulement, il n'avait pas l'intention de lui fournir d'autres révélations sur sa famille.

— A présent, dit-il, si nous parlions un peu de votre documentaire ?

Elle qui, d'habitude, parlait volontiers de son projet, s'accorda cette fois un long moment de réflexion avant de répondre.

— Entendu, concéda-t-elle enfin. Voici la liste des personnes que je souhaite interroger.

Elle lui tendit une feuille d'imprimante sur laquelle figurait une série de noms accompagnés de brèves notes — adresse, profession, détails de l'affaire jusqu'à sa résolution. Cette synthèse exhaustive et très professionnelle ferait un excellent fil conducteur pour le documentaire.

Néanmoins Scott fut incapable de se concentrer sur la liste. Il pensait à Margaret, au clan Lyon divisé en deux camps ennemis... et commençait à se demander s'il n'avait pas commis une erreur en laissant une étrangère s'immiscer au cœur de sa famille.

Il commençait surtout à comprendre les tourments qu'avait dû endurer Mme la juge Nicolette Bechet lorsque les Lyon avaient fourré leur nez de journalistes dans sa propre famille, deux ans plus tôt...

Très peu de choses auraient pu convaincre Nicki de pénétrer dans les locaux de WDIX-TV, pas même Scott Lyon, qui l'accompagnait.

Seulement elle tenait à récupérer le dossier renfermant l'histoire de sa famille. Dans sa version originale, avait-elle précisé à Scott. Elle voulait tous les brouillons, toutes les notes ayant servi à la rédaction du document définitif. Car les indices utiles se cachaient parfois dans les détails les plus improbables.

Le regard entendu de Scott avait alors confirmé son intuition — il n'ignorait pas qu'elle avait aussi des raisons personnelles de consulter ce dossier.

Elle franchit donc sans état d'âme particulier le portail en fer forgé de Lyon Broadcasting, dont la clôture ouvragée était enfouie sous les rameaux d'un jasmin en fleur. Devant elle s'élevait un ancien entrepôt, immense et entièrement rénové, construit en bordure du fleuve à la lisière du Vieux Carré. Outre WDIX-TV, le siège du groupe abritait WDIX-AM, station de radio d'information continue, et WDIX-FM dont la grille des programmes épousait l'évolution des tendances et se concentrait actuellement sur les grands événements sportifs. La décoration intérieure du bâtiment mariait le luxe à l'élégance, avec un alliage inattendu de tradition et de modernité dans le choix des formes comme des matériaux. Sols dallés de marbre italien, comptoir de réception ultramoderne, canapés et fauteuils de facture ancienne flanqués de tables d'appoint transparentes éclairées par des luminaires design... L'effet d'ensemble était spectaculaire. Dès le hall d'entrée, Lyon Broadcasting affichait sa réussite.

Une réussite qui avait la couleur de l'argent.

Nicki s'aperçut soudain avec stupeur qu'une évidence lui avait échappé : à côté d'elle, se tenait l'un des héritiers de ce redoutable pouvoir financier. Comment avait-elle pu l'oublier une seule seconde ? Le prix du coupé sport de Scott aurait suffi à entretenir pendant un an tous les Bechet de Bayou Sans Fin...

— Scott ! appela la réceptionniste dont le visage poupin se fendit d'un grand sourire. Le bruit court que tu as démissionné... C'est une fausse rumeur, n'est-ce pas ?

La nouvelle prit Nicki au dépourvu. Dissimulant de son mieux sa surprise, elle jeta un regard à son compagnon, qui semblait aussi gêné qu'elle.

— J'ai bien peur que non, Ruth. Je suis juste passé récupérer quelques affaires.

— Quel dommage ! Les Lyon se font de plus en plus rares dans la maison. M. Lyon n'est plus... Gaby reste chez elle avec son petit Andy-Paul, quant à Mme Lyon... Elle nous manque, vous savez.

Ruth pinça les lèvres.

— André est là, bien sûr, fidèle au poste, mais il n'est plus que l'ombre de lui-même.

André Lyon. Directeur général de la chaîne et héritier en titre de la fortune des Lyon, marié à Gaby et père d'Andy-Paul... C'était lui que Scott comptait rencontrer ce matin. André vivait très mal la disparition de sa mère et la dissension dans les rangs de la famille, en particulier la plainte en justice déposée par ses cousins pour contester les clauses du testament de son père Paul.

Scott prit poliment des nouvelles du fils de Ruth, étudiant à Bailor University, et de son mari convalescent après une grave opération du cœur. Puis il entraîna Nicki dans un long couloir menant à une enfilade de bureaux.

— J'ai l'impression d'être passée derrière les lignes ennemies, chuchota la jeune femme.

— Rares sont les prisonniers que nous passons à la torture.

— Ah ? Pourtant, dans vos journaux du soir...

— Vous êtes convaincue que nous avions une dent contre vous à l'époque, n'est-ce pas ?

— Pas contre moi seulement, concéda Nicki à regret.

— Une chaîne de télévision a un devoir d'information. C'est tout. Il n'y a rien de personnel là-dedans.

— Sauf pour ceux qui se trouvent pris dans votre ligne de mire.

— Vous étiez une magistrate de la ville. Cela donnait au public le droit de vous connaître.

— Dans ma fonction. Pas dans ma vie privée.

Scott s'arrêta au beau milieu du couloir et la dévisagea de son regard si pénétrant.

— Vous avez sans doute raison, prononça-t-il avec lenteur.

— Bien sûr que j'ai raison ! Si vous aviez déjà été une cible, vous sauriez de quoi je parle !

— Ce qu'elle dit n'est pas faux, Scott. Qu'en penses-tu ?

Nicki pivota prestement sur ses talons. Devant elle se tenait un homme très distingué d'allure, âgé d'une cinquantaine d'années, la taille haute et le regard soucieux.

— André ! Content de te voir, dit Scott en lui serrant la main.

— Moi aussi, Scott.

André Lyon se tourna vers Nicki.

— Mademoiselle Bechet, je présume ? Mon cousin m'a donné votre nom au téléphone. Soyez la bienvenue chez Lyon Broadcasting.

Manières exquises, courtoisie de la vieille école. Ils échangèrent une poignée de main et quelques amabilités de circonstance.

— Vous retrouvez des personnes disparues, m'a dit Scott ?

— Quelquefois, rectifia Nicki.

— C'est bien, très bien, commenta André d'un ton machinal avant de reporter son attention sur son cousin. Ta démission, Scott... Ma foi, ce n'était pas une bonne nouvelle.

Scott hocha la tête.

— Le moment était venu pour moi de... passer à autre chose.

Qu'est-ce qui l'avait incité à quitter la chaîne ? se demanda Nicki avec curiosité. La disparition de sa tante ? Le procès à venir ? Autre chose... ?

André tapota le bras de son cousin. Son sourire masquait mal la tristesse infinie de son regard.

— Si cela ne t'ennuie pas, je continuerai à m'accrocher à l'espoir que tu changes d'avis. Pour une entreprise familiale, nous manquons singulièrement de membres de la famille, ces jours-ci.

Cette voix...

Nicki sentit un frisson lui parcourir l'échine. Etait-ce le timbre d'André... ou sa façon de parler ? Les mots qu'il venait de prononcer se répercutaient dans sa mémoire, comme l'écho d'un souvenir indistinct, très flou.

Se pouvait-il qu'elle ait déjà croisé André Lyon ? Du temps où elle exerçait à la cour, par exemple ?

Tout de même, oublier une rencontre avec l'un des célèbres Lyon de La Nouvelle-Orléans semblait assez improbable.

— Les informations que vous cherchez sont sur mon bureau, dit André. Si vous voulez bien me suivre...

Tout en lui emboîtant le pas, Nicki s'interrogeait encore. Où avait-elle vu cet homme ?

Il lui tendit un épais dossier en s'offrant à l'aider, si besoin en était, le jour qui lui conviendrait. Nicki en profita pour le dévisager avec la plus grande attention. Peut-être lui rappelait-il simplement quelqu'un... Mais qui ?

Quelques minutes plus tard, ce fut avec un certain soulagement qu'elle prit congé d'André Lyon. Dès qu'elle fut sortie de l'immeuble, sa sensation de malaise se dissipa.

Un sourire éclaira son visage. Elle s'était laissé impressionner par le clan des Lyon, voilà tout.

Observer Nicki Bechet se révélait pour Scott une source continuelle d'émerveillement. Cette activité l'avait occupé tout le jour, et il n'en était toujours pas lassé.

Installée à une table de la salle à manger d'un petit hôtel des environs de Mobile, Alabama, Nicki était plongée dans l'examen des dossiers que lui avait remis André. Ils avaient dîné d'une poule aux boulettes de pâte dans un bistrot cajun, après avoir passé une moitié de la journée sur la route et l'autre à boucler une interview. Et tandis qu'il filmait une jeune femme exprimant son bonheur d'avoir retrouvé sa mère biologique, Scott ne voyait que Nicki. Celle-ci était si concentrée, si impliquée dans son travail d'apprentie journaliste qu'elle ne remarqua même pas l'intérêt tout aussi passionnel que lui portait son caméraman.

Avec elle, Scott n'était pas au bout de ses surprises. Il commençait juste à comprendre que Nicolette Bechet avait plusieurs visages.

Il se remémora sa compagne arpentant les couloirs de Lyon Broadcasting, méfiante mais intriguée, attentive d'un bout à l'autre de la visite. La personne d'André, en particulier, avait paru la fasciner au point qu'il s'était surpris à ressentir une pointe de jalousie à l'égard de son cousin.

Très différente était la passagère qu'il emmena ensuite vers le sud de l'Alabama. Les yeux clos, toute sa tension habituelle disparue, Nicki paraissait en transe. Il avait décapoté la voiture, s'attendant qu'elle s'insurge contre cette initiative ; mais elle ne s'était pas plainte du vent qui soulevait ses cheveux et lui colorait les joues.

En fin d'après-midi, une autre Nicki encore avait interrogé Savannah Davis, institutrice de vingt-huit ans venue à La Nouvelle-Orléans douze mois plus tôt dans l'espoir de retrouver sa mère... Un espoir que Nicki s'était chargée de transformer en réalité. A mesure que l'interview avançait, cette dernière était passée par toute la gamme des émotions, depuis l'impassibilité de la technicienne jusqu'à l'empathie absolue avec son interlocutrice, attestée par ses yeux rougis de larmes contenues. A diverses reprises, Scott avait été tenté de quitter son propre masque de professionnel impavide et de lâcher sa caméra pour aller prendre Nicki dans ses bras...

Ce soir, enfin, il avait sous les yeux une femme totalement absorbée dans sa lecture, comme hypnotisée par les documents qu'elle étudiait.

Cette fascination persistante envers Nicki était-elle un prélude à l'amour ? Scott n'en était pas sûr, mais il le soupçonnait. Quelques mots adressés par l'oncle Paul à son fils André, et qu'il avait surpris alors qu'il était âgé d'une dizaine d'années, lui revinrent subitement à l'esprit.

« Si, pour toi, disait Paul, la perspective de regarder la même femme par-dessus ton journal tous les matins des quarante années à venir ressemble à un purgatoire, prends tes jambes à ton cou. Si tu penses, au contraire, que ta vie n'en serait que plus digne d'intérêt, alors tu tiens le bon bout. »

A l'époque, Scott n'avait pas tout à fait compris le sens des paroles du vieil homme. Leur souvenir pourtant ne l'avait jamais quitté, pas plus que les regards réjouis de l'oncle Paul couvant la femme qui partageait ses petits déjeuners depuis des dizaines d'années. Plus d'une fois par le passé, Scott avait suivi son sage conseil pour se détacher d'une relation qui ne menait nulle part...

En regardant Nicki ce soir, il songea que, peut-être, il tenait le bon bout.

Elle s'était levée et s'étirait maintenant pour soulager la tension de son dos, au bord de bâiller. Son jean et son sweat-shirt délavé de la Loyola University ne mettaient pas vraiment sa silhouette en valeur, mais quelle importance... C'était ce qu'elle cachait sous ses différents costumes qui excitait la curiosité de Scott.

— Qu'est-ce que vous regardez ? s'enquit-elle soudain d'un ton courroucé.

Scott désigna d'un signe de tête les papiers épars sur la table.

— Vous avez trouvé quelque chose d'intéressant ? demanda-t-il.

Elle rassembla les feuillets, les rangea dans leur pochette puis se dirigea vers lui, chipant au passage un cookie sur le plateau posé sur une table basse, devant la cheminée.

— Margaret Lyon était une femme extraordinaire... Savez-vous que, sans elle, il n'y aurait pas eu de WDIX-TV ?

Elle mordit dans le biscuit en attendant sa réponse. Scott apprécia le naturel avec lequel elle l'engloutit en deux bouchées, comme les enfants, au lieu d'en grignoter des miettes du bout des dents. Cependant, il s'abstint de lui en faire la remarque, sûre qu'elle rentrerait aussitôt dans sa coquille.

112

— C'est une légende, répliqua-t-il.

— Absolument pas. Tout est là, dans le dossier. Margaret a déposé la demande de licence, lancé la construction des studios, et harcelé les vieux croûtons persuadés que la radio resterait à jamais la reine des médias. Le tout, pendant que Paul Lyon écumait les bars pour oublier ses souvenirs de guerre !

— Paul n'a jamais bu.

— Ça, c'est ce que prétend le joli document remis à la famille à l'occasion de la célébration de l'été dernier. Mais si l'on se réfère à certaines données précises, qui ont été censurées dans la version officielle...

Nicki haussa les épaules et préleva un autre cookie.

— Je vais me coucher, annonça-t-elle en s'éloignant.

Scott la regarda monter les marches d'un pas alerte et disparaître à l'étage.

La pièce devint alors étrangement froide et sombre, malgré le feu de cheminée. Après un instant d'hésitation, il remonta dans sa propre chambre.

Scott s'éveilla brusquement alors qu'il faisait encore nuit noire. Désorienté dans l'obscurité, il tendit l'oreille.

Des bruits de pas, dans le couloir... Un client qui arrivait, sans doute. Il consulta sa montre. 3 heures du matin. A La Nouvelle-Orléans, les allées et venues nocturnes n'étonnaient personne. A Mobile, en revanche...

Les pas descendaient maintenant l'escalier.

Qu'est-ce qu'il en avait à faire ?

Au rez-de-chaussée, une porte grinça sur ses gonds.

Tout à fait réveillé maintenant, Scott quitta son lit et s'approcha de la fenêtre donnant sur la cour. Il aperçut une balancelle en bois, installée sous une tonnelle où couraient des rameaux de glycine dénudés.

Une silhouette traversait la cour. La personne s'assit sur la balancelle...

L'obscurité empêchait Scott de distinguer son visage. En revanche, il vit que ses épaules tressautaient, secouées de sanglots.

Nicki ?

Nicki pleurait ?

Scott se dit que sa présence ne serait pas la bienvenue. Il se dit aussi que son devoir était de laisser cette femme dans la dignité de sa solitude...

Bien sûr.

Cela ne suffit pas à l'arrêter. Il quitta sa chambre, descendit à pas de loup l'escalier plongé dans le noir et sortit par la porte de derrière, le cœur battant et les nerfs à vif.

Elle tanguait doucement, les genoux ramenés contre la poitrine, au gré des oscillations de la balancelle. L'apercevant, elle se détourna pour s'essuyer furtivement les yeux avec la manche de son peignoir en éponge.

— Pas moyen de vous échapper, marmonna-t-elle.

Scott prit place à côté d'elle. Il la sentit s'écarter légèrement pour mettre de l'espace entre eux... Et se sentit lui-même pris d'un vertige qui lui chavira les sens. Il glissa un bras sur le dossier et lui effleura l'épaule du bout des doigts.

— Personne ne devrait être obligé de pleurer seul dans la nuit, murmura-t-il.

— Je ne pleure pas !

114

Scott referma la main sur l'épaule de Nicki et la pressa en douceur. Elle se détendit imperceptiblement...

— Vous pouvez tout me dire, vous savez.

— Mais bien sûr ! répliqua Nicki avec un petit rire triste. Si je veux passer à la télé dès ce soir...

Scott ignora le sarcasme et, n'écoutant que son instinct, risqua le tout pour le tout.

— C'est votre mère, n'est-ce pas ? souffla-t-il.

La déduction allait de soi, compte tenu de ce qu'il savait, grâce à Riva, des motivations personnelles très fortes de Nicki sur ce projet. De plus, si le père de la jeune femme avait fait, un temps, la une des médias, pas un mot n'avait filtré sur sa mère.

— Vous ne savez pas qui est votre mère...

— C'est absurde ! s'insurgea Nicki avec une véhémence telle que Scott comprit aussitôt qu'il avait vu juste.

— Alors, vous ne savez pas *où* elle est. Je me trompe ?

Nicki entrouvrit les lèvres pour le contredire — mais un gémissement sourd s'en échappa. Les larmes suivirent...

Elle s'effondra contre Scott, secouée de sanglots incoercibles. Il la serra contre sa poitrine et la berça doucement, longuement.

— Margaret est pour moi ce qui se rapproche le plus d'une mère, lui confia-t-il à mi-voix.

— Arrêtez... Je ne veux pas qu'on s'attendrisse sur mon sort ! Je n'en ai pas besoin...

La voix de Nicki se fêlait à mesure.

— Ma vraie mère, reprit Scott, n'était pas très chaleureuse. Elle ne pensait qu'à provoquer mon père. Ils ne sont pas allés jusqu'au divorce, mais... ils auraient dû,

115

sans doute. J'ai toujours pensé que c'était ma faute. En arrivant sur le tard, j'ai ruiné leurs projets... En tout cas, je ne me suis jamais senti désiré — jusqu'au jour où Margaret a commencé à manifester de l'intérêt pour moi.

— Je suis désolée, murmura Nicki. Parfois l'enfance est hantée de mauvais souvenirs... Mais si vous croyez que je m'apitoie encore aujourd'hui sur... une chose que j'aurais perdue... Eh bien, ne... Ce n'est pas...

Les mots s'étranglèrent dans sa gorge.

Lorsque Scott la prit dans ses bras, elle ne lui opposa cette fois aucune résistance. Blottie contre lui, elle se remit à pleurer.

Il eut envie de lui dire qu'elle finirait par retrouver sa mère. Qu'elle n'avait pas été abandonnée parce qu'elle manquait de quoi que ce soit... Mais son intuition lui soufflait qu'aucun discours ne parviendrait à la convaincre.

Tout ce qu'il pouvait faire, c'était prouver à Nicki par ses actes combien elle était digne d'être aimée... et déjà aimée de lui.

7.

Sans être une spécialiste de la technique du reportage vidéo, Nicki en savait assez sur la psychologie des individus pour apprécier le savoir-faire de Scott en matière de prise d'images. Il parvenait avec une facilité déconcertante à gagner la confiance des sujets qu'il s'apprêtait à filmer et, loin de les importuner, trouvait ainsi mille façons de capturer avec la caméra ce que recelait leur cœur.

Ce matin-là, assise sur une balançoire de l'aire de jeux, elle eut l'occasion de le voir à l'œuvre. Scott s'employait à envoûter Savannah Davis et sa fille qu'elle était venue chercher, ainsi que la demi-douzaine d'enfants présents dans la cour de la crèche. Il évoquait un modèle hollywoodien du père parfait, détendu et enthousiaste. Une force tranquille, noyée dans un sweat-shirt à l'effigie des New Orleans Saints, une casquette de base-ball fourrée dans la poche d'un jean délavé, juste ce qu'il fallait pour ne pas paraître prétentieux.

Pour parler aux enfants, il s'agenouillait toujours à leur hauteur et les regardait droit dans les yeux, comme s'il s'adressait à des adultes. La fille de Savannah lui signifia son approbation en jetant soudain les bras autour

117

de son cou avant d'éclater de rire. De toute évidence, la petite se laissait charmer par Scott aussi facilement qu'elle-même cette nuit…

Le souvenir la rongeait encore. Par leur sincérité, leur franchise aussi, les mots de Scott l'avaient amenée au bord de croire que cet homme-là pourrait la comprendre. Son contact l'avait réchauffée, comme ranimée de l'intérieur… Les envies les plus folles l'avaient alors traversée. Envie de se confier à Scott. De se rapprocher de lui, pour accepter ce qu'il lui offrait avec une simplicité désarmante : un lien. Affectif, physique…

Il lui fallait redoubler de prudence.

Nicki ôta son chapeau et ramena la lourde masse de ses cheveux blonds en un chignon lâche qu'elle coinça dessous.

Les Lyon représentaient un danger constant. Elle le savait. Cela ne faisait aucun doute…

Vint enfin l'heure des adieux. Savannah serra Nicki dans ses bras, tandis que sa fille en faisait autant avec Scott. Le matériel, une fois remballé, retrouva sa place dans le coffre de la voiture, près des sacs de voyage.

Tandis que le coupé sport s'engageait en ronronnant sur l'autoroute qui les ramènerait en Louisiane, Nicki se prit à espérer que Scott retournerait chez lui en ville après l'avoir raccompagnée à Cachette en Bayou. Pour qu'elle supporte de le côtoyer plusieurs jours par semaine, le temps d'enregistrer les interviews, il fallait que leurs vies respectives reprennent leur cours normal entre-temps.

L'irruption de Scott dans sa routine quotidienne chahutait son équilibre, c'était l'évidence même. Sous ses assauts empreints de douceur, elle vacillait sur ses bases. Elle se prenait à rêver d'étoiles qui lui étaient à jamais inaccessibles...

Elle devait à tout prix l'éloigner.

— L'idéal serait d'inclure votre histoire dans le documentaire, déclara soudain Scott alors qu'ils patientaient devant le dernier feu rouge à la sortie de la ville.

Nicki fit semblant de n'avoir rien entendu.

— Vert ! annonça-t-elle.

— Le récit y gagnera en intensité dramatique, insista Scott en redémarrant.

Occupée à refaire avec une application superflue les nœuds de ses lacets, la jeune femme s'abstint de tout commentaire.

— Cela pourrait nous mener à votre mère...

Le pied droit de Nicki claqua sur le plancher de la voiture.

— Je ne veux pas retrouver ma mère !

— Allons, Nicki...

— Vous ignorez tout de mon histoire. Elle... Ça n'a aucune importance.

Cette conversation devait cesser avant qu'elle ne prononce des paroles qu'elle regretterait ensuite. Des images fallacieuses lui venaient à l'esprit. Scott souriant à la fille de Savannah. Scott l'attirant dans ses bras l'autre nuit, sans poser de questions...

— Détrompez-vous, Nicki. Votre témoignage a autant de valeur que celui des autres !

Nicki haussa les épaules.

— Ce n'était qu'une adolescente fugueuse... Seize ans, environ...

Pas « environ »... Seize ans *précisément*. Comme

si elle ne connaissait pas l'histoire sur le bout des doigts !

— La responsabilité était trop lourde à assumer, je suppose, poursuivit Nicki, les yeux dans le vague. Elle ne m'a pas réellement abandonnée, elle m'a laissée avec mon père. Ce n'est... Ce n'est pas la même chose.

Elle garda le visage obstinément tourné vers sa vitre. Scott ne dit mot. Elle n'osait pas le regarder.

— Devenir mère si jeune, murmura-t-elle. Qui pourrait la blâmer ?

— Et vous, quel âge aviez-vous ?

— Laissez tomber, Scott.

Il n'insista pas.

Etrange, comme Scott semblait deviner quand il fallait la pousser dans ses retranchements, et quand le mieux était de se tenir en retrait.

La conscience instinctive qu'avait cet homme de ses fluctuations d'humeur ne cessait d'étonner Nicki.

— Cela ne vous regarde pas, de toute façon, ajouta-t-elle.

— Je suis votre ami, répliqua Scott. A ce titre, je me sens concerné.

Un cri de dénégation s'étouffa dans la gorge de Nicki. Scott Lyon n'était pas un ami, il ne le serait jamais... C'était même la dernière chose qu'elle attendait de lui.

— Soit, soupira Scott. En tant que réalisateur, au moins, je me sens concerné.

— Caméraman, rectifia Nicki. *Je* suis la réalisatrice.

— Vous ne connaissez rien à ce métier.

— Et vous, vous ne me connaissez pas. Compris ?

Cette fois, son compagnon de route garda le silence. Il accéléra légèrement, et pressa une touche de la stéréo. Le blues habité, lancinant de Hank Williams les enveloppa de sa mélancolie.

— Pas étonnant qu'il se soit soûlé à mort avant trente ans, grommela Nicki à la faveur d'une pause entre deux titres.

Elle rageait en son for intérieur. Si elle avait eu deux sous de jugeote, elle serait rentrée seule, de son côté, à Cachette en Bayou...

— J'en sais davantage sur vous, Nicki, que vous n'en savez vous-même, dit soudain Scott, reprenant la conversation au point exact où ils l'avaient laissée un bon moment plus tôt.

— Oh ! par pitié !

— Voulez-vous que je vous dise ce que je sais ?

— Certainement pas.

A l'idée d'entendre Scott lui livrer ses impressions sur sa propre personne, une angoisse atroce lui mordait les entrailles.

Pour qui se prenait-il, à la fin ? Elle l'avait cru sensible et sincèrement charitable envers les gens comme Savannah... Mais il n'était qu'un Lyon présomptueux comme les autres.

— Comment s'appelle-t-elle ?

Nicki tressaillit et leva les yeux au moment où un panneau indiquait l'entrée dans l'Etat de Louisiane.

— Qui ? balbutia-t-elle.

— Votre mère.

— Mais qu'est-ce que ça peut vous faire ?

— A quoi ressemblait-elle ?

Excédée, Nicki prit sa voix la plus tranchante, celle

qui réduisait au silence tous les charpentiers, électriciens et plombiers réunis de Cachette en Bayou.

— *Arrêtez !*

— Des cheveux clairs, sans doute. Comme les vôtres. Une silhouette fine...

Pas encore tout à fait remise des émotions de la nuit précédente, Nicki comprit non sans épouvante que ses nerfs menaçaient de craquer.

— Vous gaspillez votre salive, Scott.

C'était un mensonge, elle en avait bien conscience. Car mine de rien, à force de la provoquer, Scott était en train de parvenir à ses fins.

Il devait la prendre pour une velléitaire affreusement facile à dominer.

— Le documentaire ne sera qu'une demi-vérité, sans votre témoignage.

— Vous comptez donc exploiter ma vie privée pour ajouter au sensationnel... Pourquoi ne suis-je pas surprise ?

Après avoir retourné son sac, elle finit par remettre la main sur ses lunettes de soleil, qu'elle chaussa en toute hâte, bafouillant :

— Eh bien, oubliez ça tout de suite ! Je ne fais pas partie du scénario.

— En effet. Vous *êtes* le scénario à vous toute seule.

Nicki éprouva comme des envies de meurtre.

Le reste du trajet s'effectua dans un silence rythmé par la seule complainte désenchantée de Hank Williams.

I'm so lonesome I could cry... Si seul que les larmes lui venaient...

122

A son arrivée à Cachette en Bayou, Nicki passa deux heures seule, en tête à tête avec son ordinateur. Mais la solitude ne lui pesait pas... Elle ne lui pesait jamais, du reste.

Furieuse contre elle-même, contre le désordre actuel de sa vie, contre la terre entière, elle surfa d'un site à l'autre, déterminée à découvrir le chaînon manquant qui la mènerait à Margaret Hollander Lyon, afin de clore au plus vite cette mission.

Scott n'était pas retourné chez lui. Il passerait la nuit au cabanon. Nicki n'avait donc plus qu'à s'enfermer dans la maison. Demain, ils reprendraient la route ensemble pour enregistrer d'autres témoignages. Elle l'imaginait déjà dans un autre de ses éternels ensembles sweat-shirt et jean, esquissant un autre de ses sourires ravageurs. Peut-être devrait-elle trouver quelqu'un d'autre pour boucler les dernières interviews. Beaucoup d'enfants devaient participer demain au tournage ; or, Scott était merveilleux avec eux.

Elle aurait pourtant juré que les enfants savaient d'instinct à qui se fier...

Une désillusion de plus à mettre à son actif.

Elle haïssait cet homme. Elle le détestait presque autant qu'elle se détestait elle-même...

Lorsqu'elle éteignit enfin l'ordinateur, elle n'était guère plus avancée dans ses recherches que deux heures plus tôt. Lasse et abattue, elle descendit au rez-de-chaussée en quête d'un fruit et d'une tasse de thé à la menthe. Quoi d'étonnant ? Elle avait à peine dormi la nuit précédente. Une bonne nuit de sommeil, et tout paraîtrait plus simple au réveil.

Elle tomba sur Riva en train de distribuer à ses chats

de petits morceaux de *hush puppy*. La cuisine vibrait de ronronnements satisfaits.

— Tu vas les engraisser, observa Nicki en remplissant d'eau la bouilloire en cuivre avant de la poser sur la cuisinière.

Elle sortit une tasse, qu'elle posa sur le comptoir, et choisit une pomme.

— Ils se font vieux, rétorqua Riva en émiettant le pain de maïs frit. Ils méritent quelques gâteries. Comment ça se passe, ce documentaire ?

— Bien.

— Bien… Mais encore ?

— Rien de spécial. Nous avons interviewé Savannah Davis, répondit Nicki, attentive à ne pas laisser transparaître son irritation.

— Et ensuite ?

Nicki entreprit d'éplucher sa pomme.

— Ensuite, nous verrons.

— Et sur Margaret Lyon ? Tu progresses ?

Le fruit fut promptement taillé en quartiers grossiers.

— Pas beaucoup.

— Et Scott Lyon… Ta liaison avec lui, elle progresse, elle ?

Le couteau lui échappa des mains et rebondit avec fracas sur le comptoir.

— Je n'ai pas de liaison avec Scott Lyon !

— Ah non ? fit Riva.

Ce ton, d'une suffisance exaspérante, lui rappela Scott. Pourquoi ces gens s'imaginaient la connaître mieux qu'elle ne se connaissait elle-même ?

— Absolument pas !

124

— Un petit baiser, peut-être ?

Nicki ferma les yeux. Le souvenir de l'unique baiser échangé avec Scott chantait encore dans ses veines...

Le sifflement de la bouilloire la fit tressaillir. Son appétit envolé, elle posa les morceaux de pomme, se tourna vers la cuisinière et fit couler l'eau chaude sur le sachet de thé dans sa tasse.

Elle n'avait pas l'intention de poursuivre cette conversation. L'âge aidant, sa grand-mère tendait à respecter de moins en moins la vie privée de son entourage.

Une diversion s'imposait.

— J'étais hier chez Lyon Broadcasting, dit-elle. J'ai discuté avec André Lyon.

Elle pivota juste à temps pour voir sa grand-mère se figer, une poignée de miettes à la main. Les chats attendaient à ses pieds, museau dressé, la moustache frémissante.

— Vraiment ?

Riva eut beau afficher la plus parfaite indifférence, la mention du directeur général de WDIX-TV avait fait mouche. Intriguée, Nicki insista.

— Il avait un air familier... J'ai eu l'impression de l'avoir déjà rencontré.

Sa grand-mère se leva et frotta ses mains l'une contre l'autre pour faire tomber les miettes de *hush puppy*. D'un geste, elle chassa les chats qui se précipitaient.

— Comme c'est intéressant. A présent, pardonne à mon grand âge, il est temps que j'aille me coucher.

— Est-ce que tu l'as déjà croisé, Maman ?

Riva s'immobilisa sur le seuil de la cuisine.

— Ma foi, c'est possible, répondit-elle avec la même désinvolture suspecte.

— Quand ? voulut savoir Nicki.

— Il y a bien longtemps, sans doute...

— C'est-à-dire ?

Riva secoua la tête.

— Les vieilles femmes ont de vieux souvenirs. Tout se mélange dans ma tête, dit-elle avant de s'éloigner.

Nicki reposa sa tasse sur le comptoir et lui emboîta le pas dans le couloir.

— Maman, ta mémoire est excellente... Si tu avais rencontré un Lyon, tu t'en souviendrais !

— J'ai plus de quatre-vingts ans, chère fille. Attends d'atteindre cet âge et tu me diras si tes souvenirs sont clairs.

Là-dessus, elle entama sa laborieuse montée des marches, les chats miaulant sur ses talons.

La conversation était close.

Nicki retourna siroter son thé tout en contemplant d'un œil morne les quartiers de pomme abandonnés. Seule Kiku lui tint compagnie. La chatte birmane, trop âgée désormais pour monter l'escalier, s'était installée près de la cuisinière sur un matelas de fortune confectionné par Riva avec un vieil édredon. Elle darda sur Nicki un bref regard oblique avant de se rendormir, la tête sur ses pattes.

Rendue à sa solitude, Nicki jeta le fond de thé dans l'évier et le fruit dans la poubelle, fruit auquel elle n'avait pas touché. Contre sa volonté, son regard s'égara vers la fenêtre, aimanté par le désir de cette étoile qu'elle ne décrocherait jamais.

L'obscurité était si totale qu'on ne distinguait pas même le ponton. Et moins encore le cabanon où dormait un antidote possible contre le vide dans lequel elle s'enfonçait jour après jour.

« Possible, mais tout à fait déraisonnable », se récria la jeune femme en son for intérieur avant de se résoudre à gagner sa propre chambre.

Chaque soir, à l'heure du coucher, Riva priait pour chacun de ses enfants et petits-enfants, et même désormais pour son arrière-petite-fille.

Elle commença ce soir-là par son fils David. Même s'il n'était plus de ce monde, elle craignait encore pour le repos de son âme tourmentée. A qui la faute s'il avait basculé dans une spirale d'autodestruction, sinon à elle, sa mère, qui n'avait pas su lui donner l'amour dont il avait besoin ?

Puis elle pria pour Simone, qui avait tout ce qu'une femme peut souhaiter en ce bas monde et n'était pourtant jamais contente. Riva comprenait ce sentiment d'insatisfaction, et redoutait d'en être aussi à l'origine.

Elle n'eut garde d'oublier dans sa ferveur son cher petit Jimmy, ainsi que la dernière-née de la famille, la fille de Beau, et chacun de ses petits-enfants.

Surtout Nicolette. Nicolette était obsédée par le sentiment d'avoir subi trop d'injustices — exactement comme David.

Un sentiment justifié dans les deux cas.

Enfin, ses pensées allèrent à celui dont elle ne prononçait jamais le prénom, même dans le secret de la prière. Son premier-né. Ce fils aîné qu'elle avait confié à une autre femme, persuadée que c'était pour lui la meilleure des choses…

Avec le temps, le chagrin, les remords s'estompaient. Ce soir, cependant, l'un et les autres lui transperçaient le cœur.

Aussi Riva adressa-t-elle au ciel une brève supplique pour elle-même, car aujourd'hui lui apparaissaient dans toute leur cruauté les conséquences de cette décision prise tant d'années plus tôt.

Après avoir donné son premier fils, elle n'avait jamais pu ni su jouir pleinement des autres enfants que Dieu lui avait accordés.

Sous l'emprise de la nostalgie, elle éprouvait le besoin constant de briser les murs qui l'étouffaient. Elle avait été une mauvaise mère. Elle disparaissait parfois des mois entiers pour aller mener dans le Vieux Carré une vie frénétique, parce que c'était pour elle la seule façon d'oublier le vide qui lui creusait le cœur, et que son premier fils aurait pu combler.

Ses erreurs la hantaient encore...

Et maintenant, songea Riva, prostrée sur ses genoux endoloris, voilà qu'elle venait d'en commettre une autre, en rapprochant une nouvelle fois les deux clans !

Nicki s'astreignait par nature à la vigilance la plus stricte. Rester maîtresse de ses actes était devenu chez elle plus qu'une qualité, un réflexe. Elle avait donc en permanence une conscience aiguë de ce qui se passait autour d'elle, sans que jamais son attention puisse être prise en défaut.

Mais ce jour-là, par exception, elle s'assoupit dans la voiture de Scott, bercée par des airs de musique country. Ils étaient en route pour Weyanoke, Louisiane, où l'un des pères disparus que les recherches de Nicki avaient permis de retrouver vivait aujourd'hui avec sa petite-fille et ses deux arrière-petits-enfants.

Elle rouvrit les yeux comme ils ralentissaient à l'approche de l'entrée d'une ville. Le panneau la fit sursauter.

Bienvenue à Lawndale, Mississippi.

Nicki se redressa d'un coup sur son siège.

Lawndale... C'était la ville natale de sa mère.

— Que fait-on ici ? s'exclama-t-elle, enfouissant les doigts dans ses cheveux.

— Vous êtes une femme intelligente, dit Scott. Je crois que vous connaissez déjà la réponse.

Maman Riva.

Elle seule avait pu le renseigner... Quels incurables fouineurs, ces deux-là ! pesta Nicki en son for intérieur. Une fois de plus, elle avait sous-estimé l'outrecuidance de Scott.

A la vue des premières maisons, un irrépressible besoin de fuir s'empara d'elle.

— Demi-tour, gronda-t-elle.

Mais le coupé continua d'avancer au ralenti dans la rue principale de Lawndale. Les passants commençaient à se retourner sur leur passage.

— J'ai dit quelque chose...

— J'ai entendu.

La panique lui serrait la gorge.

Alors qu'elle n'avait mis les pieds qu'une fois dans sa vie à Lawndale, à la recherche de sa mère perdue de vue depuis si longtemps, les lieux avaient une allure étrangement familière. Le supermarché... Un drugstore minuscule, le petit restaurant ouvert matin et après-midi, six jours sur sept... La quincaillerie, dont le parking débordait de pick-ups...

Et bien sûr, la station-service où le car Greyhound l'avait laissée vingt ans plus tôt, le cœur empli d'espérance, sûre de retrouver ici, en même temps que sa mère, une vie normale.

La ville natale de Debra Brackett n'avait guère changé depuis ce bref pèlerinage. Nicki, elle, avait aujourd'hui perdu son bel optimisme. Finies, les utopies... Elle s'était résignée depuis belle lurette à jouer avec les cartes qui lui étaient échues, sans chercher à les redistribuer.

— Vous n'avez pas le droit de faire ça !

Scott se gara le long du trottoir. Les rares promeneurs arpentant la rue en ce mercredi matin ensoleillé à Lawndale observaient avec curiosité les deux étrangers dans leur élégant coupé sport. Nicki se recroquevilla sur son siège...

Il lui traversa l'esprit que quelqu'un pourrait la reconnaître. Pour peu qu'elle ressemblât trait pour trait à Debra Brackett, quelqu'un peut-être, parmi ces anonymes, s'exclamerait soudain : « Hé ! Mademoiselle ! Vous êtes le portrait craché de... Dès que je vous ai vue, j'ai su que vous étiez... »

Mais rien de tel ne se produisit, bien entendu.

— Allons poser quelques questions, déclara Scott. Pas plus. Histoire de voir ce qu'on peut trouver.

— Non.

Mais en dépit de ses protestations, et malgré l'angoisse qui lui étreignait le cœur, Nicki se surprit, à son corps défendant, à entrevoir toutes les possibilités s'offrant à elle.

A l'époque de son unique séjour à Lawndale, elle

130

était trop jeune, trop inexpérimentée pour mener une enquête aboutie. Faute de savoir quelles questions poser, et à qui, elle était repartie bredouille. Pire, à l'impuissance s'était ajoutée l'humiliation d'un retour sans gloire. Elle avait été reconduite de force chez son père par les autorités locales.

En 1979, personne, à Lawndale, n'avait pu lui fournir la plus petite information sur Debra Brackett ou sur sa famille.

Mais, vingt ans après...

Qui sait ?

Nicki ouvrit sa portière d'une main tremblante et descendit de voiture.

Son regard hébété voyagea autour d'elle, à l'affût d'un visage qui pourrait être celui d'un cousin, d'une tante, d'un oncle... Puisqu'elle était là, maintenant, pouvait-elle décemment repartir sans avoir d'abord tiré cette affaire au clair ?

Scott se matérialisa soudain près d'elle.

— Juste quelques questions, reprit-il de sa voix douce. Puisque nous sommes ici...

D'instinct, elle prit la main qu'il lui tendait et la serra convulsivement.

— Puisque nous sommes ici, oui, répéta-t-elle.

Avoir Scott Lyon à ses côtés n'aurait jamais dû lui apporter un précieux réconfort.

Et pourtant...

8.

Chaque matin ou presque, au réveil, Debra Brackett Minor devait faire un effort pour se remémorer le nom de la ville où elle se trouvait.

Elle se disait parfois qu'elle avait traversé tous les patelins du sud des Etats-Unis. Ses multiples petits boulots l'avaient entraînée d'un Etat à l'autre.

Manucure un temps dans le Mississippi, puis femme de chambre dans des motels de Floride, elle avait fait halte dans des fast-food de Warm Springs, Georgie, et York, Caroline du Sud, loué des mobile homes à Belmont, Caroline du Nord, et plus tard à Foxtail, Virginie.

Entre-temps, des étourdissements éphémères l'avaient portée vers des hommes dont les noms s'étaient effacés plus vite de sa mémoire que ceux des villes où ils habitaient. Oneonta, Alabama. Ooltewah, Tennessee...

Souvent d'ailleurs, elle reprenait la route dans le but de semer un amant trop soûl, trop brutal ou allergique au travail. Voire, certains jours, les trois réunis.

Elle était lasse de tout, des déménagements à répétition, des emplois sans intérêt, des hommes... Lasse d'espérer que la prochaine ville, la prochaine rencontre, serait enfin la bonne, celle qui la rendrait heureuse.

Ce matin-là, les yeux encore bouffis de sommeil, Debra alla se commander un café d'une voix éraillée au Divine Donut Hut de Whispering Pines, Arkansas, deux mille neuf cent sept habitants. Tout en posant sur le comptoir ses quatre-vingt-dix-sept cents, elle pensa au lieu de travail qu'elle s'apprêtait à retrouver. Moins chic, d'accord, que le salon de beauté où elle posait naguère de faux ongles au bout des doigts de coquettes privilégiées... Mais pour la première fois, Debra était contente de faire ce qu'elle faisait, et même d'être là où elle était.

Désormais, elle se réveillait sous un toit en dur, dans un studio situé au-dessus d'un garage, et non plus dans un mobile home.

Surtout, elle ne partageait plus son lit avec un raté incapable de garder un emploi ou de prendre soin d'une femme. C'était peu de chose, en vérité, pour le commun des mortels. Pour Debra, en revanche...

Après toutes ces années passées à culpabiliser d'avoir fichu sa vie en l'air, à pleurer l'absence du seul enfant qu'elle ait jamais eu, elle se sentait presque en paix avec elle-même, et cela représentait beaucoup.

Bien sûr, le souvenir de ces liaisons inconsistantes lui pesait ; comme lui manquait la petite fille qu'elle n'avait pu se résoudre à élever elle-même, faute d'expérience ou de confiance en elle.

Quelquefois, en songeant à Nicolette, elle regrettait de n'avoir pas franchi la porte de l'imposant bureau de sa fille au palais de justice de La Nouvelle-Orléans.

Mais où en aurait-elle trouvé le courage ? Découvrir

que sa petite puce était devenue juge avait été le coup de grâce. Une magistrate ! Nicolette n'avait pas besoin qu'une bonne à rien de mère, vouée à l'errance, surgisse un beau matin dans sa vie honorable pour y semer le trouble et le scandale d'une existence peu reluisante et tissée d'échecs...

Non, Debra était résolue à assumer le sort qu'elle s'était elle-même choisi.

Quelques minutes plus tard, elle se gara sur le parking de la maison de santé. Le jour était à peine levé, mais le café lui avait fourni l'énergie qui lui faisait défaut à son réveil. Elle poussa la porte de service avec un large sourire destiné au personnel de nuit.

— Salut, Bradley !

Comme chaque matin, le gardien de nuit afficha le soulagement de qui s'apprête à rentrer chez lui prendre un repos mérité.

— Dis donc, Deb... Quel est ton secret, pour avoir un si beau sourire dès l'aube ?

Debra haussa les épaules, puis changea d'avis et choisit de prendre la question au sérieux.

— Tu sais, Bradley, sur la route, tout à l'heure, je réfléchissais... En fait, ce travail me plaît vraiment...

— Vider les bassins ? Refaire les pansements ?

— C'est un peu mieux que ça, répliqua Debra sans se départir de son sourire. Je m'apprête à donner un peu de joie à une fine équipe de petits vieux qui n'attendent plus grand-chose de la vie.

— Tu l'as dit ! Cet endroit est pire qu'un hospice.

Debra l'avait compris dès son premier jour — les résidents de la maison de santé n'avaient pas eu une vie facile. La vieillesse n'arrangeait rien.

— C'est là que j'interviens, dit-elle. J'ai le pouvoir d'améliorer légèrement leur quotidien !

Bradley parut sceptique mais ne chercha pas à la contredire. Debra poursuivit son chemin, songeant qu'il ne pouvait pas comprendre, de toute façon.

En plus de vider les bassins, sa tâche, très simple, consistait à tapoter les oreillers, masser le dos des patients avec une lotion spéciale, les aider à passer des chemises de nuit propres... Le tout en devisant gaiement, même avec ceux qui ne comprenaient pas un traître mot de ce qu'elle racontait.

La merveille, c'était les rares sourires qu'elle récoltait à l'occasion. Ces sourires-là, d'une façon très mystérieuse, illuminaient sa journée et comblaient le vide de son cœur.

Parfois, le travail se révélait pénible, bien sûr. Certaines personnes, parmi les plus âgées, étaient dans un triste état et beaucoup n'avaient plus toute leur tête.

Néanmoins, Debra aimait se considérer comme leur ange gardien, vêtu de blanc et chaussé de confortables chaussures d'infirmière, dépêché en un lieu aussi désolé que la maison de santé de Whispering Pines avec la mission d'adoucir leurs derniers jours.

Elle consulta le planning du jour. C'était l'heure du bain pour la 19. Margie Paul...

Mme Paul était l'une des résidentes préférées de Debra, même si la pauvre femme savait à peine sur quelle planète elle vivait. Elle avait la manie de marmonner des mots dépourvus de sens. Le mot « lion », ou « la-ion », par exemple, revenait sans cesse dans ses phrases décousues.

Des cauchemars, sans doute.

— Bonjour, madame Paul ! lança-t-elle d'une voix enjouée. Que diriez-vous d'un bon bain et d'une chemise de nuit toute propre, par cette belle journée ?

Elle vit tout de suite que la vieille dame était très agitée, ce matin. Mme Paul grogna et se débattit pour repousser ses mains.

— Lion, balbutia-t-elle. Pas Paul ! Mari. La-ion...

Avec un petit rire, Debra hocha la tête tout en continuant de préparer sa patiente pour le bain.

— Oui, je sais... Mon mari était lui-même un ours. Les hommes sont parfois terriblement primaires... C'est pour ça que je l'ai plaqué !

Mme Paul gémit. Elle, n'avait sûrement pas quitté son époux. Debra avait remarqué la marque, à son annulaire gauche.

Où était passée l'alliance ? Sa famille l'avait peut-être récupérée. A moins qu'un membre du personnel ne l'ait subtilisée... Cela n'aurait rien de surprenant.

En tapotant l'oreiller, Debra découvrit les pilules glissées dessous. Il lui arrivait souvent de les trouver là, le matin. Elle s'appliquait alors à les faire avaler à sa patiente sans alerter les infirmières.

— Madame Paul, soupira-t-elle, vous devez prendre vos médicaments ! Si on s'aperçoit que vous les recrachez, on vous mettra sous perfusion... Vous ne voudriez pas d'une aiguille dans votre bras, tout de même ?

Mme Paul la fixa de ses yeux suppliants.

— Non, pria-t-elle d'une voix à peine audible. Pas les pilules !

Debra lui caressa le front pour l'apaiser. Ce qu'elle

n'osait avouer, même à cette femme qui semblait incapable de la comprendre, c'était que dans cette maison, les patients récalcitrants étaient souvent négligés.

Dans le meilleur des cas.

Elle ferait son possible pour que ni Mme Paul ni aucun autre de ses patients n'ait à subir ce triste sort.

— Là, là… Inutile d'en faire toute une histoire, madame Paul… Ouvrez la bouche !

Lorsque Debra quitta enfin la chambre, Mme Paul dormait paisiblement.

Cette femme lui serrait le cœur. Elle ne recevait aucune visite, aucun appel. Pour quelle raison l'avait-on internée à Whispering Pines ? Debra l'ignorait, mais se sentit rassérénée de laisser sa patiente plus calme qu'à son arrivée, devinant que ce sommeil bienheureux représentait pour elle le meilleur des remèdes.

L'enquête menée à Lawndale, Mississippi, se révéla aussi décourageante que douloureuse.

Tout de même, Nicki obtint quelques résultats. Ainsi, à la mention de Debra Brackett, Buster Ranlo, employé de la quincaillerie ventripotent et coiffé d'une raie au milieu impeccable, parut soudain tout ragaillardi.

— Bien sûr, que je me souviens d'elle…

— Vraiment ? murmura Nicki, le cœur serré.

Depuis combien de temps n'avait-elle pas parlé avec une personne qui avait connu sa mère ? Exception faite des membres de la famille, bien entendu — mais ni Maman Riva, ni tante Simone, ni oncle James n'avaient grand-chose à lui apprendre à ce sujet.

138

Ses doigts se resserrèrent d'instinct autour de ceux de Scott, qui lui pressa la main en retour.

— Nous étions dans la même classe, au lycée. C'est-à-dire, avant qu'elle prenne la poudre d'escampette... On devait aller ensemble à la fête de la promotion. J'étais même son cavalier ! Hélas ! elle est partie avant la fin de l'année.

Les mots résonnèrent dans la tête de Nicki. *Partie...* A croire que c'était une manie, chez sa mère...

— Pourquoi est-elle partie ? s'enquit-elle.

Buster secoua la tête.

— Je donnerais cher pour le savoir ! Cette fille m'a brisé le cœur en disparaissant comme ça, sans prévenir personne. J'avais déjà loué mon smoking, vous vous rendez compte...

En toute franchise, Nicki eut toutes les peines du monde à imaginer Buster Ranlo en lycéen affublé d'un smoking. Quant à se figurer sa mère vivant ici et acceptant cet homme pour cavalier... C'était tout simplement inconcevable.

— De quoi avait-elle l'air ? demanda-t-elle d'une petite voix.

Buster sourit.

— Elle était douce. Si douce...

— *Douce ?*

— Mais oui. Vous savez, jamais une critique, jamais une méchanceté sur quiconque... Toujours à essayer de contenter tout le monde... Entre nous, j'aurais eu la vie bien plus facile si j'avais épousé Debbie au lieu de ma femme...

Nicki se mordit la lèvre, s'efforçant de camoufler sa déception. Elle avait espéré une tout autre réponse.

« Indépendante », « dure au mal », par exemple. Des qualités dans lesquelles elle-même se serait reconnue, et qui l'auraient aidée à se sentir proche de sa mère...

Plus tard, un professeur de lycée témoigna de l'absence d'affinités entre Debra Brackett et le travail scolaire. Il dirigea Nicki et Scott vers le retraité qui vendait sous le manteau du whisky maison, du temps où l'alcool était interdit à la vente à Lawndale. Le père de Debra était, paraît-il, un de ses plus fidèles clients.

Ils discutèrent aussi avec une femme qui avait habité pendant vingt-six ans la maison la plus proche de celle des Brackett. Ces gens, leur apprit-elle, étaient très discrets, des voisins peu causants. D'ailleurs personne ne s'était ému outre mesure de leur brusque départ au début des années soixante-dix.

— Vous rappelez-vous où ils sont allés ? demanda Nicki.

— Oh non ! Ce n'étaient pas mes affaires.

Ils dénichèrent enfin la meilleure amie de Debra, Nancy Felton, devenue propriétaire et gérante du petit salon de coiffure de Lawndale. C'était une femme replète, au visage franc...

A en juger par sa mine éreintée, cette femme replète, au visage franc, aurait pu recourir elle-même aux services de son propre salon. Elle répondit de mauvaise grâce à leurs questions tout en versant une solution nauséabonde sur les bigoudis d'une cliente visiblement contrariée que des étrangers assistent à sa métamorphose.

— Qui êtes-vous, d'abord ? demanda-t-elle à Nicki d'un air soupçonneux.

— Je...

140

Nicki jeta un regard vers Scott, qui lui renvoya un sourire d'encouragement. Il était resté auprès d'elle toute la matinée, sans émettre de jugement, se bornant à lui offrir son soutien moral. Surtout, il n'avait parlé à aucun moment de sortir la caméra. Il paraissait content de l'accompagner dans ses recherches, rien de plus.

— Dieu me pardonne ! Je *sais* qui vous êtes !

Le cri de Nancy Felton fit sursauter toutes les personnes présentes dans le salon. Les yeux écarquillés, celle-ci pressa les doigts sur ses lèvres… et plissa aussitôt le nez. L'odeur attachée à ses mains la rappelait d'urgence à ses obligations professionnelles.

— Doux Jésus ! Laissez-moi en terminer avec Darlene et nous prendrons un café ensemble. Asseyez-vous là-bas, j'en ai pour une minute.

Elle contempla un instant Nicki, marmonna quelques mots inintelligibles et se retourna enfin vers la tête emmaillotée de Darlene.

Nicki et Scott s'approchèrent du canapé en vinyle installé près de la vitrine.

— Nous devrions repartir, souffla la jeune femme, consciente des regards vrillés sur elle.

Scott lui prit la main et l'attira près de lui sur le canapé.

— Voyons d'abord ce que Nancy a d'intéressant à nous dire.

— Mais…

— Sinon, vous regretterez toujours d'être partie avant de savoir.

Cette voix était décidément très apaisante.

Nicki sentit confusément que Scott Lyon était en passe de gagner sa confiance. Au-delà du désir que lui inspirait sa personne, elle commençait même à apprécier sa compagnie, et cela la troublait plus encore.

— Je regretterai peut-être au contraire de *ne pas* être partie, objecta-t-elle.

— Rien ne me fera croire qu'il vaut mieux fuir la vérité plutôt que de l'affronter, Nicki.

Ils échangèrent un long regard. Nicki refoula son envie de détourner les yeux, car ceux de Scott exigeaient d'elle une franchise absolue.

Cet homme n'avait pas menti, il la connaissait déjà bien. Un frisson la parcourut. Elle brûlait de se réfugier au creux de ses bras...

Nancy les rejoignit quelques minutes plus tard et se planta devant Nicki.

— Doux Jésus, pourquoi je ne l'ai pas vu tout de suite ? s'exclama-t-elle en essuyant les mains sur la serviette rose coincée dans sa ceinture. Vous êtes forcément la fille de Debbie...

La bouche de Nicki devint sèche.

— Oui. Je... Je suis Nicki. Nicolette.

Tout sourire, Nancy se laissa choir dans le fauteuil assorti au canapé.

— Mince alors ! Le bruit courait que Debbie avait eu une petite fille, bien sûr, mais... Les gens racontent tellement d'histoires...

— Vous ne lui avez donc pas parlé directement, murmura Nicki.

— A Debbie ? Non, non... Elle est partie au printemps de notre deuxième année de lycée, et à ma connaissance, elle n'a plus jamais remis les pieds à Lawndale. Mais bon, ça ne m'étonne pas.

— Pourquoi ?

— Debbie détestait cette ville et tous ses habitants ou presque. Ils la regardaient de haut, vous savez. Pourtant, elle était si jolie, si intelligente... Je jurerais que cette fille avait lu tous les livres de la bibliothèque municipale avant d'entrer au lycée. Elle était incollable !

— Mais un professeur nous a dit que...

Nancy balaya l'objection d'un revers de la main.

— Oh ! les profs ! Debbie n'ouvrait jamais la bouche en classe. Et puis, ils pensaient tous qu'elle n'était pas très futée, vous savez, à cause de sa famille...

— Pardon ?

— La faute à l'alcool... Mais, dites, fit Nancy en inclinant la tête, pourquoi toutes ces questions sur votre maman, ma petite ?

— Je... J'espérais que quelqu'un saurait me dire où elle est.

Nancy parut soufflée.

— Vous voulez dire... Elle a disparu ?

— Eh bien, je...

— Depuis combien de temps n'avez-vous pas vu votre mère, Nicolette ?

Nicki hésita. C'était peut-être l'atmosphère particulière de Lawndale, Mississippi, qui l'incitait décidément à lâcher prise...

Elle décida subitement de faire confiance à cette femme aussi.

— J'avais quatre ans quand elle est partie, déclara-t-elle d'une traite.

Nancy se renversa contre son dossier.

— Par tous les saints ! Debbie Brackett aurait abandonné sa petite fille ? Je vous jure, ça me dépasse !

143

Sa stupéfaction teintée d'incrédulité plongea Nicki dans le désarroi.

Si cet acte demeurait incompréhensible pour la meilleure amie de Debra Brackett, une seule explication rationnelle s'imposait — la faute en incombait à sa fille...

Sur la foi des multiples témoignages entendus à la cour, Nicki avait certes conscience de la complexité des motivations incitant une mère à tourner le dos à son enfant. Néanmoins, son expérience professionnelle ne pesait pas lourd face à certain complexe d'infériorité enfoui au plus secret d'elle-même.

Elle n'était pas à la hauteur. Pas assez bien. Elle le sentait depuis toujours dans son cœur, dans son âme...

Nicki déglutit.

— Donc, vous ne savez pas où elle est ? Auriez-vous idée d'un endroit où elle aurait pu se rendre ?

Un petit rire triste secoua Nancy.

— Si je l'avais su, je serais moi-même allée la chercher ! Elle a quitté Lawndale avec les soixante-quinze dollars que contenait ma tirelire. Un emprunt, soi-disant. Non, ma petite. Des bruits ont couru, bien sûr, mais rien de très fiable...

— Quel genre de bruits ?

— Les commérages habituels. Elle se serait mariée en Georgie... Il ne s'agissait pas de votre père, si je comprends bien ?

Nicki secoua la tête.

— Tant mieux. Parce que celui-là était un voyou de la pire espèce.

Le trouble de Nicki s'accentua. Sa mère aurait-elle

subi des violences ? Avait-elle mis au monde un autre enfant... qui serait donc pour elle une demi-sœur, un demi-frère ?

C'est à peine si ses lèvres desséchées parvinrent à former les mots.

— Comment s'appelait son mari ?

— Minor. Eddie Minor. Ils étaient quelque part en Georgie... Voyons...

Nancy se tut et pressa un doigt contre son front.

— Un endroit de nom de Warm Springs, il me semble.

Le cœur de Nicki bondit dans sa poitrine. Ce n'était ni Miller ni Milner, ainsi qu'elle l'avait cru, mais *Minor*...

Une ville, un nom. C'étaient les premiers éléments concrets en sa possession depuis des années.

— Plus tard, j'ai entendu dire qu'elle vivait quelque part en Floride, poursuivit Nancy. Après cela, ses parents ont quitté Lawndale à leur tour, et je n'ai plus eu aucune nouvelle.

Elle secoua la tête.

— Quelle tristesse ! Nous étions proches, à une époque, très proches même. Je crois que j'étais la seule à qui elle parlait vraiment.

Nancy consulta sa montre et étouffa un cri.

— Oh ! Je dois rincer la permanente de Darlene avant qu'elle n'en sorte frisée comme un mouton. Ecoutez, si jamais vous retrouvez Debbie, dites-lui que Nancy aimerait bien récupérer ses soixante-quinze dollars, d'accord ? Dites-lui aussi que je ne lui compterai même pas les intérêts...

— Sans faute, promit Nicki en souriant.

Elle eut beau s'intimer la prudence, l'espoir galopait déjà dans son cœur. Car elle avait accumulé suffisamment d'expérience en la matière pour savoir que, parfois, un unique détail suffisait à lever bien des verrous.

Debra Brackett Minor.

Elle tenait enfin une piste.

Sur le trajet du retour vers le Bayou Sans Fin, Nicki contint soigneusement son excitation.

Ce n'était pas par manque d'envie de la partager avec Scott. Son compagnon avait désormais sa confiance ; il comprendrait et respecterait ses sentiments, elle en était sûre. C'était plutôt au destin qu'elle n'osait se fier. Si elle confessait à l'univers entier l'optimisme qui lui gonflait le cœur, qui sait s'il n'allait pas lui être arraché ?

— Est-ce que ces indices vous aideront ? lui avait demandé Scott à peine étaient-ils sortis du salon de coiffure. Ce nom de famille, cette ville de Georgie ?...

— Peut-être.

Avant de se glisser au volant, il l'avait regardée bien en face, par-dessus le capot de la voiture, la dévisageant avec tant d'acuité qu'elle s'était sentie mal à l'aise et affreusement démunie.

Ses yeux pâles, c'était une certitude, discernaient avec une aisance déconcertante les émotions qu'elle s'appliquait d'ordinaire à camoufler sous un masque hermétique. Seule Maman Riva, peut-être, n'était pas dupe...

Et Scott, maintenant.

146

A leur arrivée à Cachette en Bayou, il la convia à l'accompagner au cabanon comme si cette minuscule cahute de pêche était son domaine.

Personne d'autre n'y logeait cette semaine-là. Les cousins étaient tous partis — T-John dans son restaurant de New Iberia, Tony et Toni sur une brève tournée, Beau et son épouse chez des parents, et Michel sur les talons d'une nouvelle amie rebutée par l'idée d'un séjour dans ce cabanon où flottaient les relents âcres du marais.

Nicki accepta l'invitation sous le prétexte de mettre au point le programme du lendemain. En réalité, elle avait très envie de profiter encore de la compagnie de Scott.

D'un accord tacite, ils laissèrent la porte ouverte sur le murmure velouté du bayou. Nicki s'assit sur un étroit lit de camp qui servait accessoirement de canapé et ramena les genoux sous le menton. Scott s'allongea quant à lui sur son jumeau disposé à angle droit, l'air si détendu que Nicki lui envia sa décontraction.

— Vous êtes tout excitée, constata-t-il d'un ton détaché. D'avoir parlé à l'amie de votre mère...

Nicki essaya de nier, mais le mensonge ne vint pas.

— Ça se voit tant que ça ? répliqua-t-elle.

Un sourire très doux fendit le beau visage de Scott.

— Cette flamme, dans votre regard.

Muette de stupeur, Nicki battit des cils.

— Vous pouvez cacher beaucoup de choses, mais pas le feu qui vous illumine de l'intérieur.

La jeune femme haussa les épaules, affectant la plus

parfaite indifférence, et tendit la main vers le carnet de notes posé à ses pieds. Il était grand temps de se remettre au travail.

Mais Scott la devança et, du bout de la chaussure, projeta l'objet hors de sa portée.

— Oublions demain, Nicki, voulez-vous ?

— Mais...

— Dites-moi, si la vie vous inspirait davantage confiance, que feriez-vous ce soir ?

Nicki tressaillit. Ces mots offraient un écho si troublant aux pensées qui l'assaillaient tout à l'heure, dans la voiture, que l'envie l'embrasa de quitter le cabanon séance tenante...

Fuir, encore...

A quoi bon, finalement ? Elle était lasse d'éviter Scott, d'esquiver la pression qu'il s'obstinait à lui imposer sans qu'elle discerne clairement ses motivations.

— Je n'aurais donc pas confiance en la vie, selon vous ?

— Vos yeux ne mentent pas, répliqua Scott.

Il s'était redressé en position assise sur le lit de camp. Comme il se penchait en avant, les coudes sur les genoux, une peur diffuse envahit Nicki. Scott se tenait pourtant encore à une distance respectable. Mais, quelquefois, il lui semblait que nulle distance, face à Scott Lyon, ne pouvait lui assurer le salut.

— La vie ne prend de gants avec personne, Nicki.

La douceur dont il enveloppa son prénom atténua la pique. Nicki se sentit soudain dépouillée de ses armes, sans défense, comme nue devant lui.

— Personne ? répéta-t-elle d'une voix altérée.

— Si c'était un cadeau, chacun d'entre nous se

148

débrouillerait seul de son côté. On ne tendrait jamais la main. On ne se lierait jamais.

— Et alors ?

Scott tendit la main, effleura son visage.

— Alors, c'est pour cela qu'on existe. Pour entrer en contact.

Pas question que Nicki se laisse aller à croire une chose pareille.

— Très jolie philosophie, commenta-t-elle avec tout le cynisme qu'elle put trouver.

— Ne faites pas ça.

Elle ouvrit la bouche pour cingler l'air d'une réplique de son cru — mais le regard de Scott la stoppa net.

Clair. Sans une ombre, sans un seul point obscur. Nicki n'avait jamais croisé des yeux aussi francs. Ils l'invitaient, la convoquaient...

Elle esquissa malgré elle un mouvement vers Scott, et se trouva soudain trop près.

— Laissez-moi... chuchota-t-elle sur un ton qui démentait son ordre.

— Impossible, rétorqua Scott.

Son souffle tiède lui caressa les lèvres.

— Je ne veux pas me lier, Scott... Pas avec vous...

— Vous avez peur, ce n'est pas pareil.

Il la prit dans ses bras avec une douceur égale à celle qui imprégnait sa voix.

Nicki se cambra d'instinct sous les caresses légères, si légères, qui insufflaient chaleur et énergie à sa peau à travers le tissu des vêtements.

— Je n'ai pas peur, protesta-t-elle d'une voix faible.

— Oh que si.

Bien sûr, qu'elle avait peur. Une peur bleue... Tous les êtres qu'elle avait désirés, chéris, appelés de ses vœux, l'avaient abandonnée. Sa vie entière se résumait à cela.

Mais, soudain, sa peur fut oubliée, balayée, anéantie au contact des lèvres de Scott, du corps puissant de Scott pressé contre le sien.

Sous ses paumes, là, un torse ferme et brûlant, un cœur dont les battements sourds se répercutaient en elle... Des bras solides l'attiraient, l'enlaçaient, la soutenaient, tandis que ces lèvres ardentes la pressaient de s'ouvrir. Elle se trouva conquise avant d'avoir compris ce qui lui arrivait.

C'était parfait.

Ni risqué ni effrayant, juste... parfait.

Elle retira son sweat-shirt en se félicitant de ne pas porter de soutien-gorge. Ses doigts se faufilèrent sous le T-shirt de Scott, dans un fouillis de boucles... Un gémissement âpre trembla sous ses lèvres. S'enhardissant, elle retroussa l'étoffe d'un geste vif et plaqua ses seins sur la peau nue de son compagnon.

Il lui saisit soudain les bras, se déprit de ses lèvres et la regarda droit dans les yeux.

— Ne me demande pas si je suis sûre de le vouloir, murmura Nicki en réponse à sa silencieuse question. Ce serait trop attendre de moi.

Scott n'hésita qu'une fraction de seconde avant de reprendre la bouche qu'elle lui tendait.

La peur, songea Nicki éblouie, s'estompait à mesure que cet homme s'invitait plus avant dans son âme. Plus elle se découvrait devant lui, plus elle se sentait réelle, vivante, en accord avec elle-même...

Comme il fouillait son regard avant d'étreindre son corps avec la même fièvre, elle comprit que toutes ses défenses venaient de tomber.

9.

Nicki dormait comme dormait Andy-Paul, le tout jeune cousin de Scott — sans bouger un cil, d'un sommeil paisible, insouciant et profond.

Scott ne s'attendait pas à cela. Il s'était au contraire préparé à ce que la méfiance reprenne le dessus dès la dissipation des ultimes brumes du plaisir.

Il s'était même commandé de ne pas s'attrister si Nicki manifestait le désir de retourner dans la maison dormir dans son propre lit, seule et sans être dérangée.

Au lieu de quoi, sa compagne s'était tranquillement assoupie, blottie au creux de lui, le poing sous la joue. Douce comme un nouveau-né. Scott sourit. La comparaison n'aurait aucune chance de lui plaire...

Longtemps, il demeura immobile, attentif au souffle régulier de Nicki, apprenant par cœur le délicat lacis de veinules bleues sur ses paupières et la courbe de sa hanche moulée sous la vieille couverture dont il avait pris soin de la couvrir.

Le désir revint, fulgurant, au souvenir de la soie de ses reins luisant des efforts de l'amour, secoués de tremblements incoercibles à la seconde où le plaisir les inondait l'un et l'autre.

Il effleura quelques mèches de ses cheveux — certaines mordorées, d'autres couleur de lune argentée, d'autres encore de miel sombre. Un mélange subtil, nuancé, à l'image de sa personnalité.

Au cours de la seule journée d'hier, la fascination que lui inspirait Nicki avait basculé dans une autre dimension. Au départ, c'était un désir, très impérieux, de percer à jour la femme que laissaient parfois entrevoir ses fêlures — commes des rais de lumière à travers les frondaisons d'une forêt dense et trop sombre.

Puis, en suivant Nicki dans les rues de Lawndale, en l'observant tandis qu'elle discutait avec les personnes qui avaient côtoyé sa mère, il avait vu ses défenses craquer — alors même qu'elle les croyait toujours bien en place.

Insensiblement, sous les yeux éblouis de Scott, le cynisme teinté de rancœur qu'elle portait chevillé au corps avait fait place à l'espoir.

Alors, il s'était senti plonger. Un plongeon définitif, irrévocable, dans l'amour pour cette femme démasquée à son insu.

Un jour, peut-être, Nicki serait prête à entendre qu'il l'aimait. Mais pas maintenant. Elle se méfiait encore...

Il resta le plus longtemps possible auprès d'elle sur leur couche trop étroite, sûr qu'elle s'éveillerait bientôt. Mais, le temps passant, ses muscles engourdis et son ventre affamé l'incitèrent à se lever et à se rhabiller pour aller faire un tour dans la maison.

Au rez-de-chaussée, les lumières étaient encore allumées. Avec un peu de chance, Riva n'était pas couchée. Scott savait aussi, grâce à ses précédents

154

séjours à Cachette en Bayou, que les jeunes Bechet étaient coutumiers de raids dans la cuisine aux alentours de minuit, en quête des restes du dîner.

Son hôtesse ne s'offusquerait pas de sa présence.

Dans le réfrigérateur, il dénicha une assiette de boulettes d'écrevisses ainsi qu'un bon morceau de pain français croustillant. Affamé, il se confectionna un sandwich qu'il dévora en quelques bouchées.

Son œil de photographe admira la disposition artistique des paniers tressés à la main sur le comptoir de la cuisine, la pile de livres de cuisine aux pages cornées, le moulin à café en bois à l'ancienne.

Une caresse au chat endormi sur une couverture près de la cuisinière, et Scott ressortit dans le vestibule. Là, le cercle de lumière venant du salon habillait d'ombres un banc de curé rustique, où trois des chats de la maison avaient élu domicile pour la nuit.

L'un d'eux souleva une paupière méfiante. Scott effleura au passage sa fourrure soyeuse et pénétra dans le grand salon.

Assise dans son fauteuil préféré, les épaules drapées dans un châle rouge et or, Riva dormait. Scott sourit en l'écoutant qui ronflait discrètement, et se demanda s'il devait la réveiller pour l'accompagner jusqu'à son lit.

Fallait-il qu'il se sente ici chez lui, pour que cette question lui traverse l'esprit ! L'idée le remplit d'allégresse. Cette maison était comme la sienne — les Bechet l'avaient accepté parmi eux. La sensation comblait un vide que Scott portait en lui depuis très longtemps.

Il n'aimait pas seulement Nicki. Il aimait aussi sa famille, son domaine, sa terre…

Les yeux fixés sur Riva, Scott se fit la promesse

solennelle de gagner sa place ici, quitte à apprendre à pêcher l'écrevisse avec Beau et Michel ou même à aider la famille de Simone à récolter le riz dans la ferme voisine... Qu'importe ! Il avait enfin trouvé son port d'attache.

Heureux de cette décision, il s'approcha de l'aïeule, humant le parfum de gardénia qu'il avait appris à lui associer, et se pencha, souriant, pour la réveiller en douceur d'une caresse sur l'épaule...

Mais, soudain quelque chose, dans le livre ouvert posé sur ses genoux, attira son attention.

Une coupure de presse, évoquant le décès de Paul Lyon.

La main de Scott resta figée.

Pourquoi diable Riva Bechet avait-elle conservé un article relatif à la mort de son oncle ?

Il étudia le papier de plus près. Le livre était en fait un album, plutôt ancien — l'article sur l'oncle Paul était collé sur une page écornée, presque déchirée sur les bords.

Curieux, il saisit l'objet et le fit glisser sous les doigts de Riva pour l'examiner. La page précédente abritait une autre coupure de journal familière, arborant une photo d'André prise lors de la célébration du cinquantième anniversaire de WDIX-TV...

Sa stupéfaction allant croissant, Scott se dit qu'il était en train de commettre une indiscrétion. Il devait tout de suite remettre l'album à sa place, sur les genoux de sa propriétaire...

Mais le besoin de comprendre l'emporta sur ses bonnes manières. Pourquoi Riva collectionnait-elle les articles sur les Lyon ?

156

Il continua de feuilleter l'album. Peut-être s'agissait-il d'un résumé de l'histoire de La Nouvelle-Orléans, dans laquelle sa famille ne jouait qu'un rôle secondaire...

Sur chaque page, il découvrit un article différent sur sa famille.

Il en sauta plusieurs pour revenir au début de l'album. Les articles les plus anciens dataient de 1943. Le tout premier, desséché et jauni, découpé dans le journal local, mentionnait le baptême d'André, tout jeune héritier des Lyon, né quelques jours à peine avant que son père ne parte couvrir la guerre en Europe, selon l'article.

Les doigts de Scott se mirent à trembler. Ce livre contenait la chronique de l'histoire de sa famille sur plus de cinquante ans !... Le clan des Lyon était célèbre, soit, mais cette obsession minutieuse et si ancienne avait quelque chose d'alarmant.

Les Lyon avaient déjà eu maille à partir avec des malades, des monomaniaques qui s'attachaient anormalement à eux, et ce n'était pas joli à voir. Par exemple, Scott gardait le souvenir cuisant d'une jeune gouvernante qui se croyait destinée à épouser Alain. Rien n'avait pu lui ôter cette conviction. Renvoyée, elle avait continué à harceler Alain durant des mois, allant jusqu'à suivre le jeune Scott sur le chemin de l'école afin de s'en faire un allié.

Son regard fou le hantait encore aujourd'hui...

Secoué d'un frisson, il baissa les yeux sur son hôtesse endormie.

Cette femme, Riva, apparemment si inoffensive et bienveillante, avait tout de même eu recours à un subterfuge pour l'attirer dans cette maison. Alors qu'attendait-elle de lui au juste ? Et de la famille Lyon en général ?

Surtout, quel était son intérêt dans la disparition de tante Margaret ?

Effrayé, Scott referma sans bruit l'album.

Brusquement, le bien-être apporté par ces murs, ce silence, cet isolement fut détruit par une anxiété sans nom. Il éprouva une envie désespérée de courir retrouver Nicki — mais que pourrait-il lui dire, sans que cela prenne le tour accusateur d'un réquisitoire ?

Ses pensées s'éparpillaient en tous sens, décousues, inabouties. Quoi qu'il fasse maintenant, Nicki le considérerait comme une trahison.

Le plus urgent était de s'éclaircir les idées. Partir, vite, avant que Rita ne se réveille...

Il sortit en trombe de la maison.

Le bitume défila sous ses roues des heures durant tandis que, dans sa tête, le besoin de retourner vers Nicki le disputait à celui de s'éloigner d'une chose qu'il ne comprenait pas et qui l'emplissait de crainte.

Pour finir, il s'obligea à remettre le cap sur Cachette en Bayou.

A l'approche de l'embranchement, une pensée le traversa. Et si l'album n'appartenait pas à Riva ? Si quelqu'un d'autre en était l'auteur — quelqu'un qui ne faisait pas mystère de sa haine envers les Lyon ?...

Nicki elle-même.

Scott pila net et respira à fond, des gouttes de sueur coulant sur ses tempes. Il n'y croyait pas. C'était invraisemblable. Seulement, pouvait-il se permettre d'ignorer cette éventualité ?

Marche arrière, demi-tour.

Sous son crâne, la tempête fit rage pendant tout le trajet. Il n'avait pas encore trouvé de solution lorsqu'il passa le panneau indiquant l'entrée dans La Nouvelle-Orléans.

Nicki s'éveilla en sursaut.

Elle avait froid, elle était seule et, plus troublant encore, elle était nue.

Dégageant quelques mèches de son visage, elle se redressa et promena le regard autour d'elle sur les murs familiers du cabanon. Elle aperçut le tas que formaient ses habits sur le sol — et brusquement tout lui revint.

Scott.

Un malaise diffus vint très vite tempérer l'allégresse qui lui gonfla le cœur. Ils avaient fait l'amour. Un pur bonheur… Leurs corps, mais aussi leurs cœurs s'étaient entendus à merveille…

Un souvenir exaltant lui revint — l'instant de plaisir exquis où leurs souffles s'étaient accordés. Les yeux de son amant avaient cherché et trouvé son âme au fond de son regard, parce qu'elle ne craignait plus de la lui montrer.

De sa vie, elle ne s'était livrée à ce point dans l'intimité. Mais si cette expérience était si merveilleuse, où était passé Scott ?

Son T-shirt et son jean avaient disparu.

Frissonnante, Nicki se hâta d'enfiler ses vêtements de la veille et se repeigna du bout des doigts. Scott était ici quelque part…

Sur le ponton, peut-être, à faire les cent pas, incapable de trouver le sommeil.

Ou là-haut dans la cuisine, victime d'une fringale nocturne... Cette absence s'expliquait facilement, pour peu qu'elle réussisse à juguler la paranoïa qui la gagnait.

Le cœur battant, elle sortit du cabanon, scruta le rivage baigné de lune et le ponton...

Personne.

Quelques lumières brillaient encore là-haut, dans la maison. Nicki se mit en route, sa confiance vacillant à chaque pas. Peut-être cette nuit ne signifiait-elle rien pour Scott. Peut-être se faisait-elle des illusions...

La cuisine était déserte. Au salon, Maman Riva s'étira dans son sommeil, marmonnant quelques mots indistincts.

Nicki explora en vain chaque pièce de la maison. Aucune trace de Scott, nulle part. Pour finir, elle se résigna à faire ce qu'elle avait soigneusement évité jusque-là. Elle ressortit sur la galerie, plissa les yeux... Mais l'obscurité l'empêcha de distinguer ce qu'elle cherchait. Elle marcha donc jusqu'au chêne où Scott avait garé sa voiture dans la soirée. L'emplacement était vide.

Il était bel et bien parti.

Alors, Nicki se laissa glisser sur le sol, comme sonnée.

Scott appela Nicki à trois reprises le lendemain.

A la lumière du jour, l'évidence lui était enfin apparue : les Lyon n'avaient rien à redouter de Nicki.

160

Celle-ci n'avait strictement rien fait pour l'attirer dans le Bayou Sans Fin — au contraire.

Il avait bon nombre d'explications à lui fournir, et autant d'excuses à lui présenter. Il ferait son possible pour alléger la souffrance qu'elle devait éprouver par sa faute ce matin.

Mais c'était toujours Riva qui décrochait, et Scott était incapable de proférer un son.

Il tenta de nouveau sa chance à l'heure du déjeuner, et entendit — enfin — à l'autre bout du fil la voix qu'il espérait.

— Nicki ! Dieu merci, je…

La ligne fut coupée avant même qu'il n'ait terminé sa phrase.

Quel idiot ! Elle avait mille fois raison de lui raccrocher au nez. Il était parti. *Parti*, bon sang ! Où avait-il la tête hier soir ?

Les doigts gourds, il composa de nouveau le numéro.

— N'appelle plus ici. Et ne remets plus les pieds dans cette maison.

— Attends, Nicki ! Laisse-moi t'ex…

Elle avait déjà raccroché.

— … pliquer.

Il comprit alors qu'il allait devoir se rendre en personne à Cachette en Bayou. C'était peut-être la meilleure solution, de toute façon. Il pourrait interroger Riva sur ce fameux album. Obtenir quelques éclaircissements. Alors, il serait débarrassé de ce sentiment confus de pécher par omission en cachant à sa famille l'intérêt suspect que lui portait Riva Bechet.

Ce fut pour Scott la pire semaine de sa vie.

Il se rendit à la ferme, comme prévu, mais ses efforts pour redresser la situation furent vains. Nicki refusa de le voir. Ses explications comme ses excuses se heurtèrent à une fin de non recevoir.

Il envoya des courriels, des bouquets de fleurs, et même une lettre par la poste, qui lui reviendrait sans doute cachetée par retour du courrier...

Il tenta aussi de se raisonner. Avec le temps, tout finirait par rentrer dans l'ordre. Il avait eu une réaction excessive, certes, mais il trouverait bien un moyen de se rattraper...

Le huitième jour, cerise sur le gâteau, il dut se rendre à Lyoncrest. Il n'y faisait que de rares apparitions, mais ce soir, les Lyon fêtaient un nouvel arrivant dans la famille : Skipper Tanner, dont l'adoption par Crystal, cousine de Scott, et son mari Caleb avait été entérinée le jour même.

La demeure familiale, qui surclassait déjà ses voisines dans l'élégant quartier de Garden District, étincelait ce soir de tous ses feux. Des chandeliers anciens scintillaient derrière chacune des fenêtres dont le verre cathédrale multipliait l'éclat des flammes. Les portes-fenêtres étaient ouvertes sur les balcons des trois niveaux de cette bâtisse des années 1830, magnifiant l'impression d'hospitalité et de fête.

Scott savait qu'il serait le bienvenu parmi les siens, mais le cœur n'y était pas. Les voir ne ferait qu'aviver sa mauvaise conscience larvée. Devait-il confier ce qu'il avait découvert sur Riva Bechet ? Toute la semaine, il avait repoussé cette idée, sachant le mal que cela risquait de faire à Nicki. Seulement... Si cette information pouvait conduire à Margaret...

Dans le meilleur des cas, se rendre à Lyoncrest procurait à Scott un plaisir mitigé. Aussi loin que remontaient ses souvenirs, la maison avait toujours symbolisé le fossé séparant les deux familles, leurs rivalités.

Son père, Charles, sacrifiait à chaque visite obligatoire le visage figé en une moue réprobatrice, et racontait invariablement à son retour comment on l'avait chassé de chez lui dès que son frère Paul était revenu de la Seconde Guerre mondiale.

Scott et ses frères écoutaient avec ravissement le récit haut en couleurs de la trahison familiale...

Ce n'est que bien des années plus tard que Scott avait appris de sa mère la suite de l'histoire — l'incompétence de son père comme dirigeant de la station de radio familiale, la convoitise qui le rongeait pour sa belle-sœur... et son refus de vivre sous le même toit que Paul, dont il jalousait la réussite et la popularité.

La hargne avec laquelle il prétendait avoir été forcé d'abandonner une carrière de pianiste prouvait sa mauvaise foi. Lui qui n'avait jamais pris d'initiative un tant soit peu risquée, préférant la sécurité de l'entreprise familiale, ne se serait jamais lancé dans une carrière d'artiste.

Son cadeau sous le bras, Scott souleva le heurtoir massif de la porte d'entrée. Avec un peu de chance, la génération suivante, à l'honneur ce soir, connaîtrait une vie moins houleuse que les précédentes...

La fête battait son plein, ce qui permit à Scott de faire une entrée relativement discrète. Les enfants

— Skipper, Andy-Paul, et trois de ses neveux et nièces — s'étaient réunis autour d'un vieux train électrique monté dans un coin du salon, qui lui rappela quelques souvenirs d'enfance. Le reste du clan, auquel s'étaient joints plusieurs employés de longue date de Lyon Broadcasting considérés comme des membres de la famille, occupait la totalité des deux salons.

Dans ces conditions, Scott aurait dû se sentir à son aise, heureux de se retrouver chez lui. Au lieu de cela, il n'éprouvait qu'une sensation de culpabilité lancinante, envers sa famille — mais aussi et surtout envers Nicki, parce qu'il l'avait quittée.

— Tiens ! Le cousin prodige est revenu des bayous !

La voix sonore de Crystal trancha dans le bruissement de bon aloi des conversations. Autour de Scott, plusieurs têtes se levèrent pour le dévisager avec curiosité. Il s'approcha de sa cousine pour l'embrasser.

— Félicitations ! lui dit-il. Epouse et mère en quelques mois… C'est un drôle de changement pour ma droguée du travail préférée.

La pique affectueuse la fit sourire. Elle parcourut le salon du regard jusqu'à ce qu'elle ait repéré son mari et son fils.

— Je suis guérie, maintenant. Dorénavant, ce sera la famille d'abord !

Leurs yeux se rencontrèrent.

L'ombre fugitive qui assombrit le regard de Crystal dut se refléter dans celui de Scott. Combien de fois avaient-ils entendu cette injonction dans la bouche de Margaret ? « La famille d'abord »…

— Ce n'est pas pareil, sans elle, murmura Crystal.

164

— En effet.

— Mais elle nous ferait un joli sermon, si elle nous surprenait en train de broyer du noir ! Quant à toi, tu passerais un moment plus pénible encore si elle découvrait que tu as quitté le navire... Qu'est-ce qui t'arrive, cousin ?

Bonne question, songea Scott.

— Toutes ces chamailleries me fatiguent...

— Comment ça ? s'exclama Leslie, la belle-fille d'André, en tendant à chacun une coupe de champagne. Je croyais que les chamailleries faisaient partie de l'héritage des Lyon !

Tous trois se mirent à rire avant de tremper les lèvres dans les bulles dorées.

— Que t'est-il arrivé ? Toi, si effacée... Tu ressembles davantage à tante Margaret de jour en jour, observa Scott en souriant.

— Le mariage me convient, apparemment, répondit Leslie. A ce propos, le bruit court qu'il y a une femme derrière ta démission de la WDIX-TV. Allez, Scotty, raconte !

Scott escamota son trouble derrière un sourire qu'il espéra convaincant, sans trop y croire. Ses deux cousines ne seraient pas longtemps dupes, s'il tentait de nier. Mais que leur dire, sans se condamner lui-même ?

— Une rebelle cajun, à ce qu'il paraît, insista Crystal, haussant un sourcil interrogateur.

— Des racontars malveillants, répliqua Scott qui se sentit rougir, pour son plus grand embarras.

La « rebelle »...

S'il n'était pas si lâche, elle serait à ses côtés ce soir.

— Allez, dis tout, ordonna Leslie en haussant un sourcil, ou j'appelle Mère.

— Non ! Pitié, supplia-t-il sur le même ton. Pas Gaby !

Elles le cuisinèrent dix interminables minutes. Scott joua le jeu tandis que tournoyait sans relâche dans sa tête la situation avec Nicki et Riva.

Ses cousines finirent par se décourager. Scott se rendit vite compte qu'elles l'avaient au moins protégé des autres âmes curieuses présentes à Lyoncrest ce soir.

Une fois seul, il dut affronter un tir nourri de questions sur sa démission de WDIX-TV, dont les plus pointues vinrent précisément de Gaby, la femme d'André.

En voyant apparaître Mary Boland, responsable de longue date des études de marché chez WDIX-TV, Scott fut infiniment soulagé. Fille de Red Reilley, annonceur parrain de l'entreprise depuis ses débuts, Mary avait pour ainsi dire grandi avec André, aussi était-elle considérée comme faisant partie de la famille.

— Une place t'est réservée au paradis, lui dit Scott, profitant de la diversion pour se faufiler avec elle jusqu'au buffet.

— Tu sais, sauver les malheureux pris dans les filets de Margaret a été ma mission principale à WIDX-TV pendant des décennies... Je commence à comprendre que c'est aussi valable avec Gaby.

Ce fut agréable de moquer gentiment avec Mary l'intransigeance de Margaret, même dans ces circonstances particulières.

— Le seul fait de parler d'elle comme si elle était là

166

est un témoignage de fidélité à son égard... souligna Mary.

— Je sens encore sa présence. Nous tous la sentons, je crois.

Mary hocha tristement la tête.

— Elle a marqué tant de gens ! Croiser la route de Margaret Lyon est une expérience inoubliable.

La remarque fit remonter le souvenir douloureux de l'album de Riva.

Scott songea soudain que son interlocutrice savait peut-être si les deux femmes se connaissaient. Et si Riva Bechet représentait une menace ou non...

Mais avait-il réellement envie de le savoir ?

— Dis-moi, commença-t-il, les yeux baissés sur sa coupe vide. J'ai rencontré quelqu'un qui... qui a peut-être connu tante Margaret dans le temps. Une Mme Bechet. Riva Bechet.

— Bechet ?

Les lèvres pincées, Mary fouilla ses souvenirs.

— Non, je... Quel prénom as-tu dit ?

— Riva.

— Riva. Nous avons effectivement connu une Riva, mais...

— Elle s'appelait peut-être Riva Reynard, à l'époque.

— Oui ! C'est ça. Riva Reynard ! Oh ! mon Dieu ! c'était il y a bien longtemps... Papa avait toujours une histoire à raconter à maman sur Riva Reynard...

Une peur imprécise mais très angoissante envahit Scott.

— Qui était-ce ? Comment connaissait-elle tante Margaret ?

— Voyons, elle travaillait pour la station il y a une cinquantaine d'années, je crois...

— Elle travaillait pour nous ? s'enquit Scott d'une voix blanche.

Son sang se glaçait lentement.

— Oui... Je ne l'ai jamais rencontrée moi-même, mais je l'ai vue une fois dans le Vieux Carré, des années plus tard. Ça me revient, maintenant. Un caméraman a dit que c'était une ancienne de chez WDIX, sans doute pendant la guerre. Elle avait même un faible pour Paul, paraît-il.

L'estomac de Scott se noua.

— Il ne s'agit peut-être pas de la même personne...

— Cette Riva-là était un drôle de personnage. Flamboyante... Le genre artiste. Des tenues osées, des couleurs vibrantes, enfin tu vois le tableau...

La description correspondait à merveille à la matriarche qui l'avait attiré à Cachette en Bayou quelques semaines plus tôt.

— André ! lança Mary. Tu te souviens de Riva Reynard, n'est-ce pas ?

Voir Mary héler son cousin acheva de saper le moral de Scott.

— L'artiste ? fit André. Oui, de réputation. Une figure légendaire du Vieux Carré des années cinquante... Quelqu'un m'a dit une fois qu'elle pouvait être la personne la plus joviale, et monter peu après sur ses grands chevaux si quelqu'un osait la contredire... Pourquoi ? Elle est sûrement morte, à l'heure qu'il est.

Scott fixa son cousin. Le doute n'était plus permis,

désormais. Ces informations qu'il détenait, il les devait à ses proches.

Un lien existait bel et bien entre les deux familles, entre Lyon et Bechet. Un lien possiblement étroit. Alors, sa loyauté lui commandait de parler, quoi que cela puisse coûter à la femme envers laquelle il avait déjà tant de torts.

— En fait... Je l'ai rencontrée il y a quelques semaines, répondit-il.

André parut alors remarquer l'étrange humeur de son cousin et le dévisagea, intrigué.

— Et... ?

Scott se mordilla la lèvre.

Il devinait ce qui se produirait, une fois André informé de ce qu'il avait découvert entre les mains d'une vieille dame excentrique, célèbre pour ses crises de colère, qui avait eu un faible à une époque pour l'oncle Paul.

En l'absence d'autres pistes en rapport avec la disparition de Margaret, son cousin transmettrait aussitôt l'information à la police. Laquelle se rendrait sur-le-champ à Cachette en Bayou, pour interroger Riva Bechet...

Et c'en serait fait de l'inviolabilité du refuge de Nicki.

Comment osait-il lui faire ça ?

D'un autre côté, comment pourrait-il garder pour lui une information susceptible de mener à tante Margaret ?

Entre Charybde et Scylla, l'enfer lui était promis.

Il s'éclaircit la voix.

— Elle... possède un objet des plus étranges, André.

Un album. Contenant tout ce qu'il faut savoir sur l'histoire des Lyon.

Mary en eut le souffle coupé. André blêmit...

Avoir opté pour le seul choix à sa portée fut une piètre consolation pour Scott. Il ne pensait qu'à Nicki et à la souffrance qu'il lui infligeait — pour la seconde fois.

10.

Nicki considéra d'un regard morne les échantillons de papier peint collés sur le mur du salon plâtré de frais. Coloris or ou taupe, rayures ou fleurs de lis, papier glacé ou tissé teint, aucune de ces différentes nuances n'éveillait chez elle le moindre enthousiasme.

— Si on peignait le mur en rouge vif, genre nouveau riche ? Il n'y a plus qu'à dénicher un vieux lustre doré dans une brocante, et le tour est joué ! déclara Toni, assise en posture zen, chevilles croisées, sur la grande table de merisier.

— Pourquoi pas, grommela Nicki.

— Seigneur ! Tu es une vraie loque, ces jours-ci... Va le chercher, pour l'amour du ciel !

— Mêle-toi de tes affaires, répliqua la jeune femme avec un élan qui manquait de conviction.

— Mais que s'est-il passé entre vous ?

D'un geste vif, Nicki arracha les échantillons du mur et les jeta dans un coin près d'une pile de pots de peinture et d'accessoires divers.

Ce qui s'était passé entre eux... Elle s'évertuait précisément à l'oublier depuis bientôt une semaine. Car elle se refusait tout net à ressasser ses souvenirs.

Scott à Lawndale, Mississippi, lui apportant force et réconfort.

Scott l'amenant en douceur à s'ouvrir, le soir venu, à force de persévérance.

Scott la caressant comme si elle lui était précieuse et faisant voler en éclats la maison de verre dans laquelle elle s'était réfugiée...

Surtout, elle ne voulait plus penser à Scott prenant la fuite après avoir mis à nu et son corps et son âme.

Qu'était-il arrivé au juste ? Se poser la question était en soi une torture. Sans doute aurait-elle dû parler à Scott au téléphone, ou lire ses courriels avant de les expédier dans un trou noir du cyberespace...

Elle n'avait pas pu. C'était aussi simple que cela.

Se détournant pour quitter la pièce, elle buta sur une chaise, qu'elle repoussa bruyamment.

— Rien. Il ne s'est rien passé !

— Sans blague ?

Toni glissa au bas de la table et s'empara de deux des échantillons éparpillés sur le sol.

— Ainsi, cette humeur de dogue serait naturelle ? Un symptôme de vieillissement, peut-être ?

— Va au diable, Toni.

Celle-ci brandit les carrés de papier à bout de bras pour les étudier.

— Tiens, dit-elle en tendant celui de droite à Nicki. Pour le mur. Les plinthes, on les peindra en bleu roi.

Avec un soupir, Nicki saisit l'échantillon. Sa cousine avait raison. Elle ennuyait tout le monde, ces temps-ci. Mais il y avait de quoi... Peut-être devrait-elle suivre le conseil favori de Toni, et oublier.

L'oublier, lui.

Le chaud picotement des larmes la prit par surprise. Elle ferma les yeux et baissa la tête, laissant passer l'orage...

Oublier Scott. Bien sûr, c'était la solution. Mais comment ?

Inspirant un grand coup, elle se tourna vers Toni qui la considérait en silence avec un air de pitié très déplaisant, et désigna du menton le papier aux fleurs de lis dorées qui frémissait entre ses doigts tremblants.

— Avec du bleu roi, tu disais ?

Toni sourit.

— Pourquoi pas ? Ce serait dans le ton de la famille, non ?

Le son qu'émit Nicki hésitait entre rire et sanglot. Toni s'approcha et l'étreignit.

— Sinon, tu choisis les sages rayures taupe avec la paisible peinture beige, et nous ferons tous semblant d'être différents de ce que nous sommes. Qui sait, quelques-uns de nos visiteurs s'y laisseront peut-être prendre ?

L'affection de sa cousine mit un peu de baume au cœur de Nicki.

— Tu en as du mérite, de me supporter, souffla-t-elle, n'osant demander à Toni de l'embrasser encore.

Toni haussa les épaules.

— J'ai de la patience en réserve. Si je réussis à supporter ma mère, je peux supporter tout le reste !

A défaut de trouver les mots justes pour la remercier, Nicki esquissa un sourire de gratitude.

— Il faut que je file, reprit Toni. J'ai une répétition, puis une audition... et peut-être même un rendez-vous, ce soir !

— Un rendez-vous ? C'est quelqu'un… d'important pour toi ? lui demanda Nicki tandis qu'elles sortaient ensemble sur la galerie.

— Dieu m'en préserve ! Je n'ai que dix-huit ans, je te rappelle… J'ai encore des hommes à séduire et à conquérir, avant d'envisager de sortir avec quelqu'un d'important…

— Dix-huit ans seulement… Quelle chance !

Toni dévala les marches du perron pour rejoindre sa voiture.

— Et pense à te détendre ! Oups… J'oubliais à qui je m'adressais, rectifia sa cousine avec un sourire taquin.

Nicki rit de bon cœur.

Tout en regardant la Jeep faire gicler le gravier, elle tenta de s'accrocher à la bonne humeur que laissait toujours Toni dans son sillage. Elle se promit de prendre plus souvent exemple sur cette jeune fille si résistante, si vive, si fougueuse… Quelle serait sa réaction, face à la sévérité que Nicki exerçait à l'égard d'elle-même ? « Sois un peu indulgente envers toi-même ! » lui dirait-elle certainement.

Alors qu'elle s'apprêtait à rentrer dans la maison, un autre bruit de moteur lui parvint. Elle s'immobilisa, les yeux rivés à la route. Une poignée de secondes plus tard, un coupé sport rouge vif, familier entre tous, apparut au bout de l'allée.

Un spasme d'angoisse lui tordit le ventre.

Scott.

Nicki durcit son expression, croisa les bras et se prépara mentalement à la confrontation à venir. Pas question de laisser Scott ne serait-ce qu'entrevoir les blessures qu'il lui avait infligées. Elle ne lui permettrait pas non plus d'envahir sa maison, son intimité, son paradis... Plus jamais !

Elle attendit qu'il descende de voiture, puis le regarda approcher. Scott semblait las mais déterminé. Eh bien ! Il trouverait ici un adversaire à sa mesure. Même un Lyon ne pouvait débarquer à Cachette en Bayou et mettre sa vie sens dessus dessous une troisième fois sans se heurter à un ferme refus.

Il avait l'air amaigri, nota Nicki comme il se rapprochait, le visage fermé.

Elle s'exhorta au calme.

Scott ne remarqua sa présence qu'une fois sur le perron. De près, elle repéra une ombre dans ses yeux qu'elle aurait pu prendre pour du remords si elle avait été disposée à lui prêter un semblant d'humanité.

— Je dois parler à ta grand-mère, déclara-t-il sans préambule.

Pas un mot pour elle. Pas le début d'une excuse...

— Elle est occupée, répliqua Nicki.

— Comme tu l'étais toi-même, chaque fois que j'ai appelé ?

Il se dirigea vers la porte, frôlant Nicki au passage. Celle-ci tressaillit comme au contact d'une flamme.

— Laisse Riva tranquille !

La main sur la poignée, il se retourna et la dévisagea en silence. Une réplique tremblait sur ses lèvres. Il s'abstint néanmoins, et lui tourna le dos pour entrer dans la maison.

Soufflée par tant d'audace, sa colère virant à la fureur noire, Nicki le suivit jusqu'au salon.

Maman Riva était assise devant la cheminée, les yeux rivés l'âtre.

— *Oh-oh ! Oh-oh !* fit Perdu.

Les chats détalèrent aux quatre coins de la pièce, comme s'ils avaient senti qu'une force incontrôlable venait d'y pénétrer. Seul Milo s'approcha lentement de Scott en agitant la queue.

— Vous êtes revenu, dit Riva sans lever la tête.

— J'ai du nouveau.

Nicki eut l'étrange sensation que Scott et sa grand-mère étaient en train de suivre à la lettre un scénario qu'ils n'avaient pas jugé utile de lui montrer.

— Ecoutez, dit-elle, je...

— La police va se présenter ici dans la journée, coupa Scott.

Le sang de Nicki se glaça.

— Quoi ? balbutia-t-elle.

Riva, pour sa part, ne parut guère affectée par la nouvelle. Elle hocha la tête et garda le silence tandis que Perdu répétait indéfiniment son commentaire laconique.

Le claquement de la porte d'entrée fit sursauter Nicki. Beau apparut sur le seuil, un grand sourire aux lèvres.

— Tu as trouvé le chemin pour revenir vers nous, mon ami ! lança-t-il en claquant une tape amicale sur l'épaule de Scott. Nous pensions que tu t'étais perdu. Et cette femme, là, ne...

— Ça suffit, Beau ! marmonna Nicki.

Le sourire du nouvel arrivant s'effaça lorsqu'il remarqua enfin la tension ambiante.

— Que se passe-t-il ?

Scott s'approcha de la cheminée pour aller se planter devant Riva.

— Ils savent que vous connaissiez tante Margaret, déclara-t-il sans la quitter des yeux. Ils savent aussi que vous avez travaillé pour Lyon Broadcasting.

Nicki, tétanisée, vit sa grand-mère confirmer d'un léger signe de tête.

Elle se sentit mal, soudain. La nouvelle ne la surprenait même pas. N'avait-elle pas subodoré depuis le début un lien entre Riva et la famille Lyon, un secret quelconque ?

Son cœur s'emballa. La police allait arriver. Il restait d'autres points à éclaircir. D'autres nœuds à démêler chez les Bechet.

— J'ai vu l'album, reprit Scott, la voix basse et tourmentée. Mon devoir était de leur en parler.

Beau fit un pas en avant et posa la main sur l'épaule de Riva qui s'était voûtée. D'un geste, la vieille dame intima le silence à son petit-fils, puis désigna la table encombrée de papiers à côté de son fauteuil.

Alors Nicki le vit, ce grand album de papier brun, aux coins abîmés, dont des morceaux de papier jauni s'échappaient par endroits. Elle recula, tandis que Beau se saisissait de l'objet et l'ouvrait.

— Qu'est-ce que c'est, Maman ?

Nicki essaya de ne pas regarder le livre, mais ce fut plus fort qu'elle. La première page portait attachée une coupure de journal — une très ancienne coupure, où se lisait en capitales le nom de LYON. Prise d'une violente nausée, elle porta la main à son front.

— Beau, ne…

Le crissement du gravier, dans l'allée, l'interrompit net. Beau se précipita vers la fenêtre.

— La police, annonça-t-il d'un ton lugubre.

— Maman...

— Madame Bechet, je...

— Dehors !

Riva s'extirpa de son fauteuil en agitant les bras vers les jeunes. Perdu battit bruyamment des ailes en écho.

— Vous tous, dehors ! Faites-les entrer et laissez-nous, ajouta-t-elle comme Beau et Nicki faisaient mine de protester.

Le menton dressé, la vieille dame agrippa à deux mains le dossier du fauteuil.

— Mais Maman, dit doucement Nicki, rien ne t'oblige à te laisser faire. Les Lyon ne régentent pas l'univers. Je suis avocate, permets-moi de...

— Assez !

Voilà des années que la voix de Riva Bechet n'avait grimpé dans les aigus. La sonnette grésilla.

— Faites-les entrer, répéta la matriarche d'un ton sans réplique.

Scott prit place dans un fauteuil de la galerie pour attendre la suite des événements. Beau s'assit face à lui, morose, tandis que Nicki restait debout, les bras obstinément croisés, le visage impavide. Scott la soupçonnait pourtant de friser la crise de nerfs.

— Tu as déjà fait tout le mal que tu pouvais, dit-elle sèchement. Nous aimerions que tu partes, maintenant.

Il la regarda.

Pendant tout le trajet, il s'était efforcé de la chasser de son esprit, pour se concentrer uniquement sur la mission qu'il s'était fixée : prévenir Riva. A présent qu'il avait pour ainsi dire livré une deuxième fois les Bechet à la curiosité publique, et à Dieu savait quoi encore, c'était la moindre des choses.

Ses efforts avaient été vains. Chemin faisant, il n'avait pensé qu'à Nicki. Mille souvenirs de son corps souple et sensuel caracolaient dans sa tête. Les images défilaient, précises, cruelles : le désordre des mèches blondes encadrant le front haut, les joues claires, le profil racé, comme travaillé par un artisan de talent.

Il avait aussi imaginé avec quelle colère elle allait le recevoir — une colère glacée, profonde comme l'eau de ses prunelles bleues, et qui la protégeait contre la panique.

Et maintenant, elle se dressait devant lui en personne... Et lui, il se sentait à la fois terrassé et ensorcelé par elle. Combien le sentiment d'amour chanté par le blues lui semblait encore trop faible, au regard de ce qu'il éprouvait pour Nicki Bechet !

Il avait causé un sacré gâchis.

— A présent, tu sais pourquoi je suis parti de cette manière, dit-il platement. J'ai découvert que les choses, ici, n'étaient pas aussi simples qu'elles le paraissaient, et... j'ai été pris dans un conflit de loyauté, entre toi et ma famille. A tes yeux, le choix que j'ai fait est sans doute impardonnable. Une erreur. J'ai tout gâché. C'est aussi pourquoi j'ai tenté désespérément de te joindre au téléphone. Je voulais t'expliquer ça, te dire que cela n'avait rien à voir avec nous. Avec toi. Mais...

Sa voix mourut. Il en avait dit assez. Car en vérité, il ne pouvait rien faire de plus pour réparer sa faute sans trahir son clan. C'était à elle, maintenant, d'ouvrir suffisamment son cœur pour admettre qu'il n'avait cherché ni à la blesser ni à lui nuire.

Nicki s'approcha de la rambarde. D'un revers de la main, elle envoya valser une fougère dans son panier d'osier. Puis elle fit volte-face.

— J'aurais dû te trouer la peau le jour où tu as mis les pieds sur ces terres ! cria-t-elle.

— Pourquoi ne pas le faire maintenant, Nicki ? Tu épargnerais un trajet aux policiers en allant dormir en cellule dès ce soir.

C'était Beau qui venait d'intervenir, de sa voix calme. Nicki ignora l'interruption.

— C'est dans ce but que tu étais venu, la première fois ? poursuivit-elle, hors d'elle. Pour fouiner chez nous ?

Ses mots sifflaient, fendaient l'air.

— La première fois, je suis venu à la demande de ta grand-mère, répondit Scott.

Nicki serra les poings. Lorsqu'elle reprit la parole, sa voix vibrait toujours de rage.

— Tu crois sincèrement cette vieille dame de quatre-vingts ans, qui vit au fond du bayou, impliquée dans je ne sais quel complot contre ta toute-puissante famille ?

— Je crois surtout qu'il se passe ici des choses que je ne comprends pas.

Scott soutint son regard et se concentra, essayant d'exprimer silencieusement ce qu'il aurait voulu lui dire s'il l'avait pu : *Je t'aime et j'ai eu tort. Mes propres peurs m'ont conduit à te faire du mal. Je comprends pourquoi tu souffres, et aussi pourquoi tu ne me fais pas confiance.*

Il avait aussi envie de lui promettre qu'il se rachèterait, que le choix qu'il avait été contraint de faire ne planerait pas longtemps entre eux, qu'il saurait chasser ce mauvais souvenir et la rendre heureuse.

Mais était-il sûr d'y parvenir ? Il ne pouvait que l'aimer — et même cet amour ne suffirait peut-être jamais à lui faire oublier ce qui les séparait aujourd'hui, et à la combler .

Si seulement…

— Laisse tomber, Nicki, reprit Beau. Tout ça n'est qu'un gigantesque malentendu. Les flics vont tirer cette histoire au clair, et tout s'arrangera.

Nicki tourna son regard sombre vers son cousin. Puis, sans un mot, elle descendit les marches du perron comme un robot et disparut au coin de la maison.

Scott dut s'intimer l'ordre de ne pas la suivre.

— Eh bien ! dit Beau en secouant la tête. Cette fille est un trésor, mais elle est d'une incroyable fragilité, en dépit des apparences : un instant, elle pourrait soulever des montagnes ; l'instant d'après elle a l'air d'un fantôme. Je suppose que tu avais remarqué, Scotty. Alors, es-tu sûr de la vouloir ?

Scott ne répondit pas. Il ne se sentait pas digne de l'indulgence de Beau. Celui-ci ne parut pas se vexer pour si peu. Il se balançait dans le fauteuil à bascule en sifflotant un air de blues.

Et Scott s'exhorta à la même patience.

Adossée au mur de la maison, Nicki se laissa glisser jusqu'à terre et crocha les doigts dans la terre fraîche et détrempée.

Elle détestait Scott Lyon ! Elle honnissait sa famille arrogante et parfaite, et ce qu'elle faisait subir à sa grand-mère... Surtout, elle redoutait comme la peste un battage médiatique qui profanerait ce havre de paix que représentait pour elle Cachette en Bayou depuis sa plus tendre enfance.

Une irrépressible envie la prit de hurler, d'expulser sa rage dans la lumière laiteuse du jour à son déclin. Pour se défouler malgré tout, elle ferma la main sur un caillou, qu'elle lança de toutes ses forces...

Comment tout cela était-il arrivé ? Comment la situation avait-elle pu dégénérer d'un coup, entraînant de si lourdes conséquences ? Et comment pouvait-elle ce soir éprouver des sentiments aussi contradictoires, et osciller entre désir et haine à l'égard d'un même homme ?

Le grincement de la porte d'entrée la fit bondir sur ses pieds. Elle tourna le coin de la maison à temps pour voir les policiers en uniforme descendre du perron, et les intercepta avant qu'ils aient regagné leur voiture.

— Que vous a-t-elle raconté ? s'enquit-elle, le souffle court.

Le plus âgé des deux consulta son collègue du regard, puis se tourna vers Nicki.

— Vous devriez poser la question à Mme Bechet elle-même, mademoiselle.

Nicki faillit répliquer que Maman Riva ne risquait pas de lui dire quoi que ce soit. Mais cela ne l'avancerait pas à grand-chose, aussi choisit-elle de biaiser.

— Je ne veux pas la bouleverser plus que vous ne l'avez déjà fait... Il n'empêche que j'ai le droit de savoir. Je suis avocate.

— Est-ce que vous représentez officiellement Mme Bechet ?

Nicki n'hésita qu'une fraction de seconde.

— Oui, affirma-t-elle.

— Dans ce cas, entendez-vous d'abord avec elle. Mme Bechet nous a affirmé qu'elle ne voulait pas être assistée d'un avocat.

Ces mots déclenchèrent un drame dans la tête de Nicki. Avaient-ils déjà informé sa grand-mère de ses droits ? Avant de l'arrêter ? Non, c'était impossible...

— Vous l'accusez de quelque chose ?

— Non.

— Vous voulez dire... Pas encore ?

Le policier vissa sa casquette et l'effleura de l'index.

— Sauf votre respect, mademoiselle, un long trajet nous attend pour retourner en ville.

Les deux hommes s'éloignèrent, plantant là Nicki dont le regard était fixé sur la maison.

Ou plutôt, sur Scott.

Il lui faisait face, debout derrière la rambarde de la galerie. Si seulement elle avait pu se fier à son regard soucieux... Si elle avait pu contempler cet homme sans frissonner au souvenir des plaisirs partagés avec lui... Son désir pour lui finirait-il un jour par se dissiper et la laisser en paix ?

Quoi qu'en disent ses proches, sa vie était parfaite avant que Scott Lyon n'y fasse irruption. Maudit soit-il, pour insinuer le doute, et l'inciter à croire que peut-être

Toni, et Maman, et Beau ne se trompaient pas, que tout n'allait pas si bien que ça...

Nicki s'avança vers la porte, décidée à passer devant lui sans s'arrêter, mais Scott la saisit par le bras.

— Je suis désolé, dit-il. Pour tout.

Cette voix, si douce...

Malgré elle, Nicki se prit soudain à imaginer une scène improbable : elle se disputerait avec Scott et finirait bien sûr par céder à son timbre mélodieux, à l'intensité de son regard... et par croire, une fois encore, au mythe du bonheur à deux et des joies de la famille dans une vie enfin apaisée...

— Je n'en doute pas, répliqua-t-elle à la place. A présent, si tu veux bien m'excuser, je vais prendre des nouvelles de ma grand-mère.

Scott la lâcha et son bras retomba, sans force.

Ce fut un déchirement de s'éloigner de lui. Ces sentiments qu'il éveillait chez elle étaient absurdes ! Elle pénétra dans la maison et referma résolument la porte derrière elle.

11.

L'information qui s'afficha sur l'écran offrit à Nicki un frisson d'excitation comme elle n'en avait pas ressenti depuis longtemps. Ses mains se figèrent, un peu tremblantes, au-dessus du clavier...

Debra Brackett Minor avait suivi une formation d'infirmière dans une faculté de Tallahassee, en Floride.

Le cœur battant, Nicki effleura ces mots comme pour établir avec eux une connexion affective, avant de porter les doigts à ses lèvres. Entrevoir un fragment de la vie de celle qui l'avait tout à la fois portée, mise au monde et abandonnée... curieusement, cela l'intimidait presque. A trente-cinq ans, soit à peu près l'âge de Nicki aujourd'hui, sa mère avait souhaité devenir infirmière. Soit une personne qui, par profession, soigne des malades et s'en occupe... Elle avait pris sa vie en main.

Mais Debra Brackett Minor, apprit-elle ensuite, avait laissé tomber ses études avant leur fin. Elle ne s'était pas non plus donné la peine de rechercher sa fille, qui eût été pourtant facile à trouver.

Nicki se leva de sa chaise, étira son dos ankylosé et

frotta ses paumes l'une contre l'autre tout en maudissant cette bâtisse trop ancienne qui, en dépit d'une réfection complète du chauffage, demeurait glaciale en toute saison. Elle jeta un coup d'œil à la pendule et s'aperçut qu'elle était restée deux heures penchée sur son ordinateur. Le travail accompli ce matin était le premier sujet d'intérêt qu'elle ait trouvé depuis deux jours — depuis la venue de la police à Cachette en Bayou.

Depuis la venue de Scott.

Elle se hâta vers la cuisine pour se préparer une tasse de thé brûlant, remède souverain contre la fatigue. Peut-être pousserait-elle ses recherches plus avant, maintenant qu'elle savait que sa mère exerçait peut-être le métier d'infirmière. Debra avait pu achever ses études ailleurs et trouver ensuite un poste dans un hôpital, une clinique…

Riva était en train d'éplucher des oignons. Elle procédait lentement, avec méthode. Perché sur son épaule, Perdu lui soufflait quelques astuces sonores qui demeuraient sans réponse. Riva avait la parole rare depuis son entretien avec les policiers de La Nouvelle-Orléans.

Nicki remplit la bouilloire et la posa sur un brûleur. En attendant que l'eau chauffe, elle étudia sa grand-mère avec inquiétude.

La vieille dame était habillée de beige, aujourd'hui. Nicki aurait pourtant juré que Maman Riva ne possédait aucun vêtement d'une couleur aussi discrète, aussi neutre. Riva portait du pourpre, du violet, de l'or ou du turquoise. Jamais de beige.

— Je m'occuperai du dîner, ce soir, proposa Nicki

tout en sortant du placard une tasse, une soucoupe et un sachet de thé. Va donc prendre un peu de repos.

— Cela ne me dérange pas, marmonna Riva sans lever le nez.

— Je préparerai une étouffée d'écrevisses, selon la recette de T-John...

— Laisse-moi. Je suis encore capable de préparer à manger.

Son timbre de voix semblait aussi terne que sa tenue. Une peur diffuse envahit soudain Nicki. Et si sa grand-mère était sur le point de s'éteindre ? Elle posa sa tasse sur le comptoir et s'approcha de la table. L'air embaumait la menthe et les gardénias. Nicki sourit. La terre continuerait-elle de tourner sans le talc parfumé au gardénia et les pastilles mentholées de Maman Riva ?

— Parle-moi, pria-t-elle doucement tandis que la bouilloire se mettait à siffler.

— Pas le temps. J'ai du travail.

L'apathie de sa grand-mère, ses épaules voûtées, sa mise, l'indolence de ses propos... L'inquiétude de Nicki s'accentua. Refoulant une envie de toucher Riva pour se rassurer au contact de sa chaleur, elle fit couler l'eau bouillante sur le sachet de thé puis, les doigts serrés sur l'antique porcelaine, elle approcha la tasse de son visage. Des fragrances citronnées, capiteuses, lui chatouillèrent les narines...

— Parle-moi des Lyon, insista-t-elle.

— Je n'ai rien à dire à ce sujet.

— C'est ce que tu as répondu aux policiers ?

D'un petit coup sec de son couteau, Riva désintégra la pile de tranches d'oignons.

— Toi, tu fais l'amour avec ce Scott ?

— Maman…

— Tu vois ? Rien de plus pénible que les petites fouineuses.

— Mais je me fais du souci, figure-toi ! Tu broies du noir comme…

— Comme ma petite-fille ici présente. Tu ne te mêles pas de mes affaires, je ne me mêle pas des tiennes. C'est compris ?

Nicki se raidit et avala une gorgée de thé fumant qui lui fit venir les larmes aux yeux.

— Tes affaires me regardent, depuis que tu l'as toi-même attiré dans ma vie, fit-elle valoir.

— Je suis vieille. A mon âge, l'indiscrétion n'est plus un défaut. Tu as ma permission pour quitter ma cuisine. Sur-le-champ.

— D'accord, soupira Nicki. Tu as gagné.

— Absolument. J'ai gagné.

Sur une impulsion, Nicki effleura le dos de la main de sa grand-mère.

— Je t'aime, Maman… Oh ! Tes mains sont gelées. Où est passé ton châle ?

Riva secoua la tête.

— Quelque part à l'étage. Je ne sais pas.

— Je vais te le chercher.

Laissant Riva ronchonner dans sa barbe, Nicki sortit de la pièce et se mit en quête du châle préféré de sa grand-mère. Malgré toutes les rénovations achevées, ces murs vénérables et ces hauts plafonds restaient humides et froids. Toujours froids. Il faudrait songer à refaire l'isolation. Une corvée supplémentaire en perspective, pesta Nicki en son for intérieur. Puis elle ressortit du salon, bredouille.

A quatre-vingt-quatre ans, constata Riva, la peur ne surgissait pas si facilement. Peu de choses, en fin de vie, représentaient une menace.

On pouvait mourir, bien sûr, mais ce qui venait après la mort ne pouvait être plus pénible que les épreuves traversées auparavant.

On pouvait s'affaiblir, tomber malade. Devenir infirme et tomber dans la disgrâce... Mais quoi qu'il arrive, désormais, Riva pouvait s'estimer heureuse d'avoir résisté si longtemps.

Rien de tout cela ne constituait un réel sujet d'inquiétude.

Elle posa l'épluche-légumes sur le comptoir, s'essuya les mains sur un torchon et s'approcha de la fenêtre. Son regard se perdit dans le lointain, vers les frondaisons obscurcissant le ciel comme la rançon exigée en échange de leurs ombres protectrices.

Toujours, il y avait un prix à payer. Elle l'avait appris à ses dépens de longues années plus tôt. Elle espérait seulement être à jamais la seule à porter ce fardeau...

Un espoir vain, elle s'en rendait compte aujourd'hui.

La peur l'amollissait à la pensée que ses erreurs et ses mécomptes étaient en train de la rattraper. Tout avait commencé une cinquantaine d'années plus tôt, avec ce plan qu'elle avait échafaudé dans le but illusoire d'échapper aux conséquences de son existence trop sensuelle.

Ses fautes, elle s'en était repentie, depuis. Chaque jour de sa vie… Mais c'était dans la logique des choses. Au moins son enfant innocent n'avait-il pas eu à souffrir de ses écarts de conduite : il avait été heureux, tout en faisant aussi le bonheur des personnes qui l'avaient adopté dans leur cœur et dans leur foyer.

Et maintenant, doux Jésus, qu'avait-elle fait, sinon trahir ses engagements ? Elle avait manqué à la promesse solennelle faite à la femme qu'elle admirait plus que n'importe qui au monde. Le contact était aujourd'hui renoué entre leurs familles respectives. Et leur secret à toutes deux en grand péril.

Tout éclaterait bientôt en pleine lumière, et ce serait elle, Riva, l'unique fautive du désastre.

Dans sa détresse, elle se surprenait parfois à espérer que Margaret Lyon soit déjà morte. Ainsi elle n'apprendrait jamais la trahison… Néanmoins, songea-t-elle tout de suite après, quand bien même Margaret l'ignorerait, d'autres après elle viendraient à découvrir la vérité. La vérité était destinée à se dévoiler au grand jour. Beaucoup en souffriraient, à commencer par sa toute précieuse Nicki…

Et le fils qu'elle avait renié.

Fait rarissime, Nicki trouva la porte de la chambre de Riva fermée. Elle tourna la poignée… et se figea sur le seuil, atterrée. Maman Riva n'avait jamais brillé par sa méticulosité ; elle ne chérissait pas l'ordre. mais là… Le chaos régnant dans la pièce était indescriptible.

190

L'antique et imposant chiffonnier, construit dans du bois de cyprès de la région, un siècle plus tôt, par le père de Riva, était grand ouvert. Et toutes les boîtes de rangement qu'il contenait gisaient éparses sur le plancher.

Nicki resta sans voix. Quelle folie avait donc traversé l'esprit de sa grand-mère ? Elle se pencha machinalement pour ramasser une boîte. Partout, s'étalaient des photos, des feuilles, des liasses d'enveloppes. C'était à croire que Riva avait décidé de se projeter le film de sa vie entière...

Cette pensée lui fit l'effet d'un coup de poignard.

N'était-ce pas un réflexe chez les personnes qui se préparaient à mourir ?

Nicki enroula frileusement les bras autour de sa taille et tenta de se raisonner. Jeter un regard en arrière était naturel pour une femme de cet âge. Riva n'avait plus personne dans son entourage avec qui échanger des souvenirs. Pourquoi lui dénier le droit de se laisser aller parfois à quelques réminiscences ?...

Ce beau raisonnement ne la convainquit guère.

Elle eut vite fait de repérer le châle violet dont Riva ne se séparait guère que les jours d'été les plus étouffants, drapé sur le dossier de la chaise du bureau, près de la fenêtre. Songeant soudain que sa grand-mère, en bas, devait trembler de froid, la jeune femme s'approcha...

Parmi les papiers jonchant le bureau, un ruban de soie violette attira subitement son attention. Jouer les espionnes n'était pas dans ses intentions, seulement... Maman Riva avait un faible pour le violet. La collection de lettres pliées avec soin, avec leurs enveloppes, nouée à l'aide de ce ruban présentait forcément une valeur particulière à ses yeux.

Nicki hésita.

Feuilles et enveloppes étaient d'un élégant parchemin couleur crème, frappé d'une unique lettre d'or en relief.

La lettre *L.*

Elle posa la main sur le châle. S'intima l'ordre de s'en saisir et de quitter la chambre… Mais rien n'aurait pu l'empêcher de se pencher sur ces feuillets pour en apprendre davantage, eussent-elles été gardées par les plus féroces alligators du bayou.

4 décembre 1961, indiquait un script sévère en haut à droite. *Ma chère Riva…*

Nicki retint son souffle. Une lettre d'amour ? Les lèvres sèches, elle fit glisser le document hors du ruban et le déplia. Ce n'était pas correct, sans doute. Mais il fallait qu'elle sache.

Je pense à toi aujourd'hui, comme toujours. Je sais que toi et les tiens traversez une mauvaise passe. Accepte, je te prie, l'enveloppe jointe, en gage de ma gratitude envers ta générosité et ton silence, sur lesquel repose l'équilibre de ma famille.

Margaret.

La feuille échappa aux doigts tremblants de Nicki. L'affolement la gagnait. Ce n'était pas une missive d'amour, loin de là… Alors, quoi ?

Elle feuilleta rapidement la petite liasse de lettres. Toutes portaient la lettre dorée.

Sa grand-mère connaissait Margaret Lyon. En témoignait cette correspondance régulière entretenue au fil des ans.

Mais leurs relations ne s'arrêtaient pas là. *En gage de ma gratitude pour... ton silence...*

Selon toute apparence, Maman Riva faisait chanter Margaret Lyon.

12.

— Quand vas-tu te remettre au travail ?

Cette question, tout le monde la lui posait. Scott ne fut donc pas ravi de l'entendre une nouvelle fois de la bouche de son voisin. Il était revenu deux jours plus tôt de Bayou Sans Fin et depuis, il ne pensait à rien d'autre qu'à la souffrance qu'il avait causée à Nicki.

Il s'empara du carton à pizza vide sur la table basse et l'emporta dans la cuisine.

— Nous n'avons rien contre les volontaires, note bien, ajouta Donnie en ouvrant le réfrigérateur. Mais ta vie part en vrille, vieux. Pas de travail, pas de femme... Et tiens, j'en étais sûr, plus de bière...

— Je fais le vide, répliqua Scott, occupé à aplatir le carton pour le glisser dans la poubelle par-dessus celui de la veille.

Donnie poussa un grognement.

— A ton âge, tu ne vas pas te mettre à vivre aux crochets de ta famille ! Alors, quels sont tes projets ?

— Est-ce que je t'ai invité chez moi pour que tu joues les mères poules ?

— Je me suis invité tout seul, rectifia Donnie d'un

ton enjoué. D'ailleurs, j'aurais dû penser à apporter de la bière.

Scott lui renvoya un sourire forcé.

— Viens, dit-il. La mi-temps est presque terminée, le jeu va reprendre.

Ils s'affalèrent chacun dans un fauteuil. Scott se hâta de rallumer la télévision dans l'espoir de désamorcer toute conversation autre que les sarcasmes traditionnels contre les maladresses des joueurs. Donnie était un type bien. Il habitait depuis trois ans maintenant la maison mitoyenne de celle de Scott, et malgré ses taquineries au sujet de la bière, il ne se livrait à aucun des excès en vogue chez les célibataires. Scott était heureux ce soir de profiter de sa compagnie. N'importe quoi, pourvu qu'il cesse un instant de penser à Nicki...

De sa vie, il n'avait provoqué pareil gâchis dans une relation amoureuse. Il savait depuis le début combien Nicolette Bechet était vulnérable. Plus précisément depuis l'instant où, quelques années plus tôt, son regard avait renvoyé à la caméra qu'il pointait sur elle une angoisse poignante. Stoïque, elle avait fait front, drapée dans la majesté de son bel habit noir un peu intimidant, et personne ne s'était aperçu de rien. Seul Scott avait tout de suite discerné la femme à qui ils avaient affaire. La nouvelle de la démission de la juge n'avait fait que confirmer cette intuition.

Aujourd'hui encore, Nicki persistait à jouer les dures au mal, avec ses combinaisons de peintre, sa carabine et la pointe d'acier dans son regard... Mais en vérité, elle était toujours aussi fragile. Lui, était parvenu à la dépouiller de ces accessoires trompeurs. Et qu'avait-il fait pour elle en échange ?

Il l'avait trahie. Après avoir conquis sa confiance de haute lutte, il l'avait abandonnée au moment précis où elle baissait enfin la garde. Pire, il avait aggravé son cas en portant contre sa famille une accusation abominable et en provoquant l'intervention de la police, garantie ou presque d'un harcèlement des médias à venir équivalant à celui qu'elle avait fui à l'époque.

— Si je peux t'aider à soulager ta conscience… ?

La voix de Donnie le fit tressaillir.

— Hmm ?

— J'ignore ce qui te préoccupe, mais… Tu viens de manquer un très joli but.

— Oh.

— Je suis très doué pour écouter les confidences. Une survivance de mes activités de pasteur, je suppose. Si tu n'as pas envie de parler, regarde au moins le match. Je déteste le regarder en solitaire…

Cela, Scott pouvait le faire. Se forcer à chasser Nicki de son esprit pour se concentrer sur du football pendant une petite heure. Sûrement.

— D'accord, dit-il.

Vingt minutes plus tard, ils vitupéraient en chœur contre l'aveuglement congénital des arbitres après une faute évidente et non sifflée — lorsque retentit la sonnette de l'entrée.

Des visites à cette heure tardive, Scott n'en recevait jamais. A moins qu'un de ses retors de frères… Il envisagea d'abord de ne pas bouger, avant de croiser le regard pensif de Donnie fixé sur lui.

— Bon, bon…

Il se leva en maugréant, tant la perspective d'une

entrevue avec Alain ou Raymond l'ennuyait par avance.

Nicki faillit presser une seconde fois la sonnette. La télévision marchait, de l'autre côté de la porte, il devait donc être chez lui. Néanmoins, quel soulagement ce serait de tourner les talons pour regagner sa voiture...

Elle se massa la tempe, où une douleur l'élançait depuis le matin — peu après qu'elle avait découvert les lettres de Margaret dans la chambre de sa grand-mère. C'était peut-être l'obligation de garder le secret qui lui donnait mal à la tête. Elle aurait dû détruire toutes les pièces compromettantes liant Riva aux Lyon et toutes les preuves en sa possession. Si jamais la police revenait avec un mandat de perquisition...

Sa migraine s'accentua brutalement.

Comme elle aurait aimé s'expliquer avec Maman Riva, passer outre à son entêtement pour lui arracher la vérité, coûte que coûte ! Mais sa grand-mère avait l'air si abattue ces derniers jours que le courage, au dernier moment, lui avait manqué. Alors, à qui d'autre pouvait-elle en parler ? Certainement pas l'un de ses bambocheurs de cousins...

Le seul interlocuteur sérieux, digne de partager ce secret, qui lui vînt à l'esprit, c'était Scott. Mais c'était impensable, bien entendu.

Toutefois, elle devait des excuses à Scott pour avoir dirigé sa colère contre lui. Elle l'avait mal jugé, alors qu'il s'inquiétait simplement pour sa tante. A présent, pour avoir tout au moins la conscience tranquille, il lui fallait d'urgence clarifier la situation.

Cela fait, peut-être ne serait-elle pas obligée de révéler la totalité de ce qu'elle avait appris. Elle aviserait le moment venu. Elle aussi, en fin de compte, s'inquiétait pour un membre de sa famille et se sentait prête à tout pour la protéger.

Forte de ces résolutions, elle leva la main vers la sonnette au moment où la porte s'ouvrait enfin.

— Scott.

— Nicki.

Celle-ci frémit. Ce timbre de voix caressant son prénom lui était si familier... Elle eut la sensation que Scott l'avait touchée. Le risque était sérieux de se perdre dans ses yeux, dans sa voix, dans ses bras...

— Puisque nous avons désormais établi que vous vous connaissiez, fit une voix derrière Scott, vas-tu te décider à l'inviter à entrer ?

— Oh...

— Oh !

Scott s'effaça devant Nicki tandis que celle-ci reculait d'un pas.

— Tu as de la compagnie !

— Non, je...

— Je vais... J'aurais dû téléphoner avant. Je...

— Non, ça ne fait rien. S'il te plaît...

Un homme grand et mince, au sourire espiègle, apparut dans le vestibule.

— En fait, j'allais partir. Il n'a plus de bière et son équipe vient d'encaisser trois buts sans provoquer chez lui la moindre réaction.

Nicki sentit ses joues s'empourprer.

— Non, je…

— A un de ces quatre, Scott. Ravi de vous avoir rencontrée, Nicki.

Et le sourire amical s'en fut, la laissant plantée dans le vestibule face à un homme qui semblait aussi troublé qu'elle.

— Entre, dit-il.

Venir ici était une erreur. C'était clair, maintenant. La porte se referma derrière son dos telles les grilles de l'enfer. Nicki essaya de s'intéresser à l'ordonnance des pièces de la maison, à la décoration intérieure, rien à faire, elle n'avait conscience que de cet homme, de sa proximité, de la chaleur et du pouvoir ensorcelant de sa présence. Il portait un bas de survêtement et un T-shirt ajusté qui mettait son torse en valeur. Ce torse… puissant et doux à la fois… Nicki en gardait un souvenir ébloui. Sous sa joue, ses lèvres. Contre la pointe de ses seins…

Vite, elle avança jusqu'au milieu du salon, pressée de s'éloigner de lui.

— Assieds-toi, proposa-t-il en désignant l'un des deux fauteuils.

Elle s'installa, le dos très raide. Scott prit place à côté d'elle et pointa la télécommande vers le téléviseur pour couper le son. Les athlètes sur le terrain poursuivirent feintes et crochets dans un silence quelque peu irréel.

Nicki déglutit et se tourna vers son hôte.

Le regarder faillit la perdre.

Scott Lyon n'entrait dans aucune des deux catégories d'hommes que Nicki avait croisées jusque-là sur sa route — les superficiels, comme son père, Steve

Walthan ou encore plusieurs de ses cousins, beaux parleurs imbus de leur personne ; et les machos, très virils mais dépourvus de finesse, à l'image de la plupart des autres mâles de Bayou Sans Fin.

Scott, lui, était un spécimen unique en son genre. Séduisant, beaucoup d'allure, mais sans ostentation. Il ne cherchait pas à se mettre en valeur et la frime ne l'intéressait pas. Il lui avait fait l'amour avec une tendresse que n'avait montrée aucun de ses anciens amants, appliqués à susciter chez elle des sensations plutôt qu'une émotion.

Aujourd'hui, elle connaissait et appréciait la différence.

— Je suis heureux que tu sois venue, lui dit-il, la désarmant une nouvelle fois.

Elle hocha la tête en prenant soin de se détourner de lui, et résolut d'aller droit au but afin d'en terminer avant de céder à une faiblesse regrettable.

— Je voulais m'excuser d'avoir été si odieuse envers toi, commença-t-elle.

— Tu avais toutes les raisons de l'être.

— Je... Je voulais protéger ma grand-mère.

— Et qui plus est, je suis parti sans te dire au revoir.

Certes, cela expliquait aussi son accès de fureur. Cependant Nicki se refusa à reconnaître cette faiblesse personnelle à voix haute, comme si c'était là le dernier lambeau de dignité auquel elle puisse se raccrocher.

— Non, assura-t-elle, je peux comprendre pourquoi tu as agi ainsi. Tu t'inquiétais pour ta tante.

Il tendit la main au-dessus de la console séparant leurs fauteuils et frôla la sienne.

— J'ai eu tort, Nicki. Je ne comptais pas du tout agir ainsi, mais j'ai pris peur.

Elle le regarda, surprise à la fois par ce contact et par l'aveu qu'il venait de lui faire. Ses yeux gris pâle lui rappelèrent les brumes planant à la surface des bayous.

— Tu as eu peur, toi ? releva-t-elle, incrédule.

— Cela nous arrive à tous, Nicki.

Il avait décidément le don de la mettre en confiance. Nicki brûlait de tout lui dire — non pas seulement ses craintes sur ce qu'elle avait appris à propos de sa grand-mère et de Margaret Lyon, mais les peurs qu'elle nourrissait à son propre sujet. Son sentiment d'infériorité tenace, ses manques, ses défauts. Scott comprendrait à coup sûr. Il la réconforterait...

Mais ensuite, il la quitterait de nouveau, songea-t-elle avec un pincement au cœur.

— Vraiment ? dit-elle, se forçant à afficher son cynisme habituel.

Scott acquiesça en silence.

— De quoi diable pourrait avoir peur un Lyon ? insista-t-elle avec un petit rire qui, à son grand dam, ne convoyait pas la nonchalance espérée.

— Des mêmes choses que toi, Nicki. De ne pas réussir à s'intégrer dans la société. De se sentir parfois seul au monde. D'être utilisé. De n'être jamais aimé pour ce qu'il est...

— Tu ne parles pas sérieusement !

— Mais si. Cela fait trente-quatre ans que je vis cela. Comme toi, exactement.

Nicki n'avait aucune envie que son cœur et son âme soient visités avec une telle diligence, mais les mots lui faisaient défaut pour arrêter Scott. Il semblait réellement comprendre, seulement...

Seulement elle souhaitait de toutes ses forces qu'il se trompe. Elle voulait être différente. Elle voulait *changer*.

— Quelquefois, reprit Scott, nous avons besoin que quelqu'un nous voie tels que nous sommes, avant de pouvoir commencer à changer. C'est la première étape : trouver quelqu'un qui nous comprend.

Nicki frissonna, troublée une fois de plus par l'étonnante aptitude de Scott à deviner le tour que prenaient ses pensées.

— Je suis bien comme je suis, affirma-t-elle, sur la défensive. Je n'ai pas besoin de changer.

— Tu te fermes à la vie.

Elle se leva.

— Je ferais mieux de m'en aller.

Scott l'imita et lui saisit les mains avant qu'elle ne s'éloigne.

— Rien ne t'oblige à continuer de vivre ainsi.

Nicki songea aux lettres, à sa grand-mère, à Margaret... Mais rien n'était aussi persuasif, en cette seconde, que le contact des mains de Scott, et le regard pâle qui exigeait qu'elle accepte la vérité.

Son désir pour cet homme était si pur, si clair, qu'il surclassait tout le reste.

— Je n'en ai pas envie, concéda-t-elle dans un murmure, mais...

— Alors, montrons-nous le chemin l'un à l'autre.

— Je...

Nicki se tut. Ses facultés de réflexion semblaient l'avoir

abandonnée. Il avait raison, sûrement. Puisque jamais elle ne s'était sentie aussi vivante que maintenant.

Elle se coula entre ses bras.

Une alarme se déclencha quelque part dans sa tête. Elle l'étouffa aussitôt en offrant ses lèvres à Scott.

Il en prit possession avec une infinie tendresse, la main posée en coupe sur sa nuque. Alanguie, Nicki noua les bras autour du cou de Scott et se pressa contre sa chaleur.

— Je ne partirai pas, cette fois, souffla-t-il en glissant les doigts sous son chemisier.

Un vague souvenir effleura l'esprit en déroute de Nicki. Il y avait bien une raison qui inciterait Scott à partir... Mais elle comptait bien moins que cet instant qu'ils étaient en train de vivre.

Ils se dévêtirent l'un l'autre, sans hâte. Nicki laissa ses doigts voyager librement sur la peau nue qui lui était offerte et accepta en retour les caresses de son amant comme un cadeau. Une à une, toutes ses peurs la désertèrent, libérant un espace où Scott trouva naturellement sa place.

Trouver Nicki dans ses bras le lendemain matin au réveil fut plutôt déconcertant.

Scott ne put s'empêcher de se remémorer leurs premières étreintes dans le cabanon, sa propre insomnie et les événements qui avaient suivi. Il fronça les sourcils. Cette nuit, tout avait paru si simple...

Nicki s'étira et leva les yeux vers lui. La méfiance était revenue dans son regard. Bien qu'elle n'essayât pas de se détacher de lui, son anxiété se sentait dans la crispation de son corps.

Elle remonta le drap sur sa poitrine. Scott y vit le signal qu'il était temps d'affronter leurs problèmes sans détour.

— Pourquoi es-tu venue ? demanda-t-il.

— Je te l'ai dit, je voulais m'excuser.

— Alors, qu'est-ce qui t'a fait changer d'avis ?

Nicki détourna la tête, le drap serré sous le menton.

— Tu as appris quelque chose, n'est-ce pas ? insista Scott. De quoi s'agit-il, Nicki ? Si tu m'en parles, nous étudierons la situation ensemble. Quoi qu'il se soit passé entre nos deux familles, ensemble nous pourrons le réparer. Je t'aime, et je crois que cet amour est partagé...

Elle ferma les yeux.

— Je ne sais rien qui puisse nous aider.

Frustré, Scott bondit hors du lit et enfila son survêtement.

— Dévoiler tous les secrets — voilà ce qui nous aidera !

Nicki le rejoignit, tirant le drap avec elle.

— Laisse tomber, Scott...

— Je ne peux pas laisser tomber ! La vie de ma tante est peut-être en jeu !

Il lut l'indécision dans son regard tourmenté, et ajouta :

— Notre vie ensemble en dépend peut-être aussi.

— Tais-toi, balbutia Nicki, au bord des larmes.

— La vérité, nous pouvons nous en accommoder. Mais aucun amour ne peut survivre au mensonge, Nicki.

Les larmes dévalaient ses joues, maintenant.

— J'aimerais m'habiller, dit-elle.

Scott eut soudain envie de la harceler. De lui répéter qu'il l'aimait, encore et encore, jusqu'à ce que déferlent en elle les sentiments qu'elle refoulait depuis si longtemps qu'elle ne croyait plus à leur existence... Alors elle ne pourrait plus lui fermer son cœur et se déciderait enfin, sûrement, à lui montrer ce qu'il dissimulait...

Cependant, il était trop avisé pour cela. Du reste, aurait-il l'énergie nécessaire pour la convaincre ? Il commençait à en douter.

Il quitta la chambre sans ajouter un mot.

Nicki s'habilla rapidement. Mille questions se télescopaient dans sa tête. Et si Scott avait raison ? Si tous les deux, ensemble, avaient le pouvoir d'anéantir les démons du passé ?

Pour cela, il lui faudrait d'abord croire à l'amour vrai dont parlait Scott.

Incapable de se résoudre à l'affronter, elle trouva refuge dans la salle de bains et s'aspergea le visage pour effacer la trace des larmes. Elle attendit ensuite de recouvrer son énergie coutumière, qui l'avait tant de fois aidée à surmonter les épreuves...

Il faisait quasiment jour lorsqu'elle se décida enfin à ressortir.

La maison était déserte. Une note était accrochée sur la porte d'entrée.

Nicki,

Je suis sorti acheter de quoi préparer un bon petit

déjeuner. S'il te plaît, attends-moi. Ensemble, nous trouverons une solution. Nous en sommes capables, j'en suis convaincu. Je t'aime et je sais que tu m'aimes, je l'ai senti cette nuit. Cet amour est notre meilleur atout, tu en conviendras comme moi.

Scott.

Nicki froissa le papier dans son poing et resta un moment paralysée d'incertitude. Que faire ? Croire Scott ? Son instinct l'y incitait, mais... Elle connaissait aussi le prix à payer, pour elle, pour sa famille. Le scandale, le déchirement, pire encore, qui sait.

Ces épreuves, elle les avait déjà endurées une fois dans sa vie...

Elle saisit son sac à main et sortit de la maison au pas de course.

Serrant dans ses bras le sac contenant des petits pains tout chauds, des œufs, du bacon et du jus de fruits achetés dans son petit restaurant favori, Scott descendit de voiture.

Celle de Nicki n'était nulle part en vue.

— Non, gémit-il en se ruant vers la porte de la maison. Non, non, non !

Partie.

Tout ce qui lui restait de Nicki, c'était son parfum, omniprésent dans l'air, sur les draps, la serviette de toilette...

Cela, et le vide insupportable au-dedans de lui.

Impossible de rester là tout seul à se morfondre. Scott croqua un petit pain, jeta le reste et claqua la porte derrière lui.

Pour tromper son envie de courir après Nicki, il s'arrêta dans un bar près du fleuve, le temps de disputer une partie de billard, puis poussa jusqu'à l'agence où travaillait Donnie avant de changer d'avis, redoutant les questions que risquait de lui poser son ami. Il déjeuna seul d'une petite moitié de *muffuletta*, et se retrouva une nouvelle fois au volant.

Il devait à tout prix se changer les idées, ou il se retrouverait directement à Cachette en Bayou.

Pour finir, il prit la direction de WDIX-TV. Peut-être parviendrait-il à réunir quelques copains pour faire la tournée des bars ce soir. Ou bien Crystal lui indiquerait-elle un club où aller écouter de la bonne musique. Ou peut-être se battrait-il avec Raymond... Son humeur le portait davantage à cette dernière option.

Il échangea quelques mots avec ses collègues cameramen, flirta un moment avec la jeune Tiffany qui démontra plus d'enthousiasme que lui pour ce petit jeu, et apprit que sa cousine Crystal, naguère si acharnée au travail, était déjà partie assister à la kermesse de l'école de son fils adoptif.

Aussi déboula-t-il dans le bureau de Raymond.

Son frère était absent, lui aussi. Certains signes, cependant, laissaient croire qu'il reviendrait bientôt. L'ordinateur allumé, la tasse de café fumant posée près de la souris. Scott décida de l'attendre.

Incapable de tenir en place, il se mit à arpenter la pièce de long en large. A tout hasard, il retira d'une étagère un livre de comptes, qu'il feuilleta machinalement pour voir comment la chaîne soutenait la concurrence. Les colonnes de chiffres dansaient devant ses yeux. Il lui fut impossible de se concentrer. Quel intérêt, du reste ? Dans cette affaire, qui se souciait de savoir que les infos du soir sur WDIX-TV battaient de deux pour cent l'audience des autres chaînes ? En comparaison de la famille, de l'amour, de la loyauté, les indices d'écoute et les parts de marché pesaient peu.

En reposant le livre, Scott aperçut un dossier de papier glacé coincé derrière le montant de l'étagère. Il le sortit et le lança sur le bureau de Raymond. Dans le mouvement, le contenu se répandit sur la table.

Plusieurs brochures sur des maisons de santé.

Scott fronça les sourcils. Raymond et Alain projetaient-ils de placer leur père dans une de ces institutions ? Soit, le vieil homme déclinait un peu ces temps-ci, mais ils avaient les moyens de le faire soigner à domicile. Déjà passablement énervé, Scott sentit la moutarde lui monter au nez. Ils n'avaient pas le droit d'envisager cela sans lui demander son avis. La décision devait être prise par le conseil de famille. Or, personne, parmi ses proches, n'avait évoqué devant lui une...

Son cœur s'affola soudain.

Une fois, une seule, il avait surpris ce mot de « maison de santé ». Dans la bouche de Raymond, quelques mois plus tôt. Il tenta de se remémorer les paroles exactes de son frère, qu'il avait entendues par hasard.

« Il faut se débarrasser d'elle, disait-il à Alain. La vieille carne a passé l'âge de fourrer son nez ici, dans nos affaires. La boucler dans une maison de santé pour les infirmes, où elle ne causera plus de tort à personne... Voilà ce que nous devrions faire ! »

Non, se dit fermement Scott. L'idée était trop extravagante, même pour Raymond. Sa mémoire lui jouait des tours... Ces brochures n'avaient aucun rapport avec la disparition de tante Margaret.

Mais il n'avait plus envie d'attendre son frère. Le dossier sous le bras, il quitta Lyon Broadcasting et rentra directement chez lui.

Il alluma la télévision, choisit une chaîne diffusant du sport et mijota des heures dans son jus, les yeux rivés sur un écran qu'il distinguait à peine. De guerre lasse, il prit son téléphone et composa le numéro de Cachette en Bayou.

Ce fut Nicki en personne qui décrocha.

Le son de sa voix suffit à altérer le souffle de Scott. Il dut se rappeler mentalement à l'ordre — une raison et une seule justifiait cet appel.

— Si tante Margaret se trouvait dans une maison de santé, est-ce que nous aurions une chance de découvrir laquelle ?

— Ma foi... Bien sûr. Il faudrait un certain temps, mais...

— Même si elle est inscrite sous un autre nom ?

— Où veux-tu en venir, Scott ?

— Est-ce qu'il y aurait moyen de retrouver sa trace ? insista-t-il.

— C'est possible.

La froideur de Nicki, sa voix distante, faisaient un mal de chien.

— Est-ce que tu... tu m'aiderais ?

Une infime hésitation, puis :

— Oui.

— Bien. J'arrive.

— Non ! Non, ce n'est pas une bonne idée. Donne-moi d'abord quelques informations. Je travaillerai sur l'ordinateur ce soir.

Si seulement il pouvait la voir, être avec elle... La toucher... Comment pouvait-elle éprouver tant de méfiance à son égard, alors que l'amour qu'il lui vouait se lisait dans chacun de ses regards ?

Mais bien sûr, tant qu'elle lui fermerait sa porte, il n'avait aucune chance de la convaincre.

— D'accord, soupira-t-il. Qu'est-ce qu'il te faut ?

Elle posa quelques questions, auxquelles Scott répondit de son mieux. Il alla jusqu'à citer quelques-unes des institutions présentées dans le dossier trouvé chez Raymond, sans préciser toutefois d'où il tenait leurs noms. Nicki demeura sérieuse, très professionnelle. Scott fit de même. C'était mieux ainsi, sans doute. Lorsque ce fut terminé, elle raccrocha la première.

Nom de nom... Il avait envie de pleurer.

Tout son petit monde se disloquait autour de lui.

13.

Scott scruta la salle d'audience, où se pressaient les Lyon au complet — frères, père, cousins, belle-famille.

— Quelle ironie, n'est-ce pas ? chuchota Crystal, assise à côté de lui au bout du banc, dans la rangée du fond.

Il se pencha.

— Pardon ?

— A quand remonte la dernière réunion de famille aussi réussie ?

Scott regarda sa cousine et lut sur son visage les mêmes sentiments mêlés qui l'agitaient lui-même. Il acquiesça en silence. Pour rassembler le clan, il avait donc fallu ce procès intenté à André par ses frères, qui l'accusaient de les avoir spoliés de leur part d'héritage.

Honteux et furieux du spectacle indigne qu'offraient ces querelles intestines, Scott s'était placé exprès tout au fond de la salle bondée, le plus loin possible des protagonistes. Ainsi qu'il fallait s'y attendre, les journalistes avaient débarqué en force. Il y avait même une équipe de WDIX-TV, l'intégrité viscérale d'André lui interdisant d'escamoter cette vilaine affaire. Après l'audience préliminaire d'aujourd'hui, le procès ferait la une des informations jusqu'au jugement définitif.

— Tu n'es pas du côté de tes frères, à ce que je vois, chuchota Crystal au moment où l'assistance se levait comme un seul homme à l'entrée du juge.

— Et toi, tu n'es pas avec André.

Crystal haussa les épaules.

— Moi, je n'arrête pas de penser à la vitesse à laquelle tout ce beau monde s'éclipserait en douce si tante Margaret pénétrait maintenant dans cette salle. Vivement que tout cela soit fini !

Scott approuva d'un hochement de tête, tout en se déportant sur la droite pour faire de la place à sa cousine. Ensemble, ils écoutèrent avec attention l'exposé des arguments. Scott surveillait du coin de l'œil divers membres de la famille, tout en espérant que sa présence passerait inaperçue. Plus d'une accusation développée par ses frères lui donna envie de déguerpir. Ainsi ces allusions à des preuves selon lesquelles André ne serait pas un Lyon, ou encore ces allégations laissant supposer que Margaret Lyon comptait flouer la famille...

— Ceux qui ne voient pas qu'André est le portrait craché de Paul auraient besoin de lunettes, dit tout bas Crystal au bout d'un moment.

— Et ceux qui croient Margaret coupable d'escroquerie envers la famille, de quoi auraient-ils besoin, à ton avis ?

Les yeux mouillés, Crystal lui décocha un sourire reconnaissant. Scott lui pressa le bras. Il savait combien sa cousine était proche de Margaret. Lui-même fut subitement frappé par l'envergure remarquable du personnage. Margaret Lyon avait su s'investir quand il

214

le fallait auprès de son entourage, grâce à une réserve de compassion inépuisable qu'elle n'hésitait jamais à utiliser.

Dieu merci, cette lamentable mise en scène lui était épargnée.

L'écœurement de Scott allait croissant. Vers midi, lorsque le juge décréta la plainte d'Alain vraisemblablement fondée, il était prêt à cogner dans le premier obstacle matériel ou humain qui se présenterait. Làbas, au premier rang, Alain et Raymond se félicitaient mutuellement par de grandes claques dans le dos.

— Je file avant de faire quelque chose qui les obligerait à me traîner ensuite en cour d'assises, dit-il à Crystal tandis que la foule faisait mouvement vers la porte.

Sa cousine le serra brièvement dans ses bras. Sans tarder, Scott joua des épaules pour gagner la sortie.

Il l'aperçut alors, à un mètre à peine devant lui.

Nicki.

Il ne l'avait pas revue depuis le matin où elle lui avait faussé compagnie, même s'ils s'étaient parlé à plusieurs reprises au téléphone. Rester en contact, se tenir mutuellement informés des progrès de l'enquête… Quel meilleur prétexte pour entendre sa voix et s'accrocher à l'espoir, si ténu soit-il, que quelque chose changerait ?

Le tailleur pantalon noir sévère qu'elle portait aujourd'hui semblait appartenir à une époque révolue. Visiblement troublée, elle jetait des regards furtifs autour d'elle comme si elle craignait que quelqu'un la reconnaisse.

Scott sentit la frustration qui lui chauffait le sang depuis le matin s'orienter malgré lui vers cette nouvelle cible. Ils atteignirent la porte au même moment. L'air coupable, Nicki détourna la tête et se faufila dans le hall, à l'écart de la foule et surtout des médias. Il ne la quitta pas des yeux jusqu'à ce qu'ils soient l'un et l'autre libérés de la cohue, et la rattrapa près d'une sortie de secours.

— Tu as dû te régaler en regardant les puissants Lyon laver leur linge sale ! lança-t-il d'un ton amer.

Nicki se retourna promptement.

— Je croyais que ce serait le cas, répliqua-t-elle. Je me trompais.

La colère de Scott retomba comme un soufflé. Bon sang ! Cette femme avait le don d'émousser ses pulsions les plus agressives.

— Tu te trompais, vraiment ?

La franchise nue du visage de Nicki rendait la question inutile. Elle pinça les lèvres et replia les bras autour de sa taille.

— Là, tout à l'heure, en regardant ta famille… J'avais l'impression de me regarder moi-même. Ils semblaient si ravagés, si choqués… A commencer par ton cousin André… Quand ils l'ont accusé de ne pas être un Lyon, j'ai cru qu'il allait faire un malaise et s'effondrer.

Ces paroles achevèrent d'éteindre la colère de Scott. Nicki n'était pas responsable de la scène qu'il avait endurée ce matin. Rien ne l'autorisait à se défouler sur elle.

— André est solide, dit-il en hochant la tête, mais…

Nicki inspira à fond.

— J'ai toujours cru que flancher était le signe d'un manque de courage…

216

— C'est peut-être simplement une preuve d'humanité ?

— Voilà une possibilité déprimante, commenta Nicki avec un sourire triste.

— Elle était censée te remonter le moral.

— Tu ne sais pas combien il est douloureux d'être humain, murmura la jeune femme.

Il avança d'un pas vers elle et suggéra tout bas :

— Et si tu me l'expliquais ?

A ces mots, elle parut se détendre imperceptiblement.

— Tu sais ce qui arrive quand on est humain ? dit-elle, les yeux braqués sur lui.

Scott attendit la suite sans piper mot.

— On prend des coups, acheva Nicki dans un murmure.

Du bout des doigts, Scott dégagea de son visage baissé le voile de cheveux qui le dissimulait.

— Et toi, Nicki, tu sais ce qui arrive quand on essaie de ne pas être humain ? On prend des coups.

— Alors, c'est une impasse...

— Sans doute. Mais rester humain a ses bons côtés...

— Lesquels ?

Scott sourit.

— Les amis qui vous aiment. La famille qui vous soutient... Les bébés. Les baisers, les câlins, les nuits froides sous la couette avec une autre personne qui vous réchauffe.

Dans le regard de Nicki s'alluma comme une flamme.

— Hélas... toutes ces choses peuvent disparaître...

— Au moins, on les aura vécues. C'est toujours mieux que de se refuser le plaisir de les connaître.

Un sourire rêveur se dessina sur les lèvres de Nicki. Scott lui prit la main et la glissa dans le creux de son bras. Ce fut très doux de sentir cette main, là, et plus doux encore de constater qu'elle ne se dérobait pas.

— Fais-moi confiance...

Elle garda le silence, mais lui emboîta le pas dans l'escalier.

— Où allons-nous ? demanda-t-elle alors qu'ils traversaient le parking sans s'arrêter.

— Dans le Vieux Carré. Plus précisément dans mon boui-boui préféré, où tu goûteras les meilleures crevettes frites de Louisiane.

Nicki ralentit le pas.

— Le Vieux Carré ? Je ne sais pas... Je n'y vais jamais.

Il crut d'abord à une plaisanterie.

— Tout le monde va dans le Vieux Carré !

— Pas moi.

Elle était très sérieuse. Il se tourna vers elle et mêla ses doigts aux siens tandis que leurs bras se déprenaient.

— Pourquoi ?

Pour toute réponse, Nicki le fixa d'un air hagard.

— Il n'y a rien là-bas qui soit de nature à te hanter...

— Si !

La petite voix d'enfant perdue réveilla l'instinct protecteur de Scott.

— Alors, dit-il doucement, le moment est venu de chasser tous ces démons.

— Scott... Tu ne comprends pas.

— Je t'écoute.

— Non, je... Ce ne serait pas...

— Bon. Allons juste déguster ces crevettes. Avec une bière glacée, peut-être... Ensuite, nous verrons bien.

Elle le lâcha pour enfoncer les mains dans les poches de sa veste.

Scott pouvait presque voir les rouages de son cerveau s'enclencher et tourner à toute allure. Il éprouvait une envie désespérée de la ramener vers lui. Pour l'apprivoiser enfin. Il se contint tant bien que mal, par crainte de l'effaroucher.

— J'ai peur, avoua-t-elle enfin d'une voix si basse que les bruits de la rue faillirent la couvrir.

— De quoi ?

— De... C'est juste que...

Il lui toucha la joue. Elle plia imperceptiblement sous sa paume, avant de se raidir.

— Dis-moi, Nicki...

Un soupir las et défait s'échappa de ses lèvres tremblantes.

— J'ai grandi ici, Scott. Je travaillais dans les rues quand j'étais gamine.

Le visage crispé par l'effort que lui coûtaient ces paroles, Nicki précisa :

— Je chantais. Je dansais, je... Tu...

Se retenir de la prendre dans ses bras fut un véritable supplice.

— Je sais cela, dit Scott.

— Depuis... Je n'y suis jamais retournée.

— Allons-y ensemble. Si je suis à tes côtés, les lieux perdront ce pouvoir qu'ils ont sur toi.

— Tu ne comprends pas !

— Fais-moi confiance, répéta-t-il d'une voix plus ferme.

Le cœur battant, il attendit sa décision. Elle semblait à la fois découragée et perplexe.

— Est-ce que je peux, vraiment ? Je peux te faire confiance ?

— Oui.

Elle s'accorda encore le temps de scruter son visage, en quête d'un signe, d'une preuve... Puis elle esquissa un pas dans sa direction, et glissa de nouveau la main au creux de son bras.

— Soit, dit-elle. Mais si je n'aime pas être humaine, je me réserve le droit de changer d'avis. D'accord ?

— Tu as ma parole.

— Bière et crevettes frites... Quelle merveilleuse initiation au plaisir d'être humain ! s'exclamait Nicki moins d'une heure plus tard.

Ils déambulaient dans les rues du Vieux Carré, plutôt calmes en ce début d'après-midi. Scott tenait les canettes de bière et Nicki le cornet de papier huileux contenant les crevettes. Encore un peu nerveuse, celle-ci essayait de concentrer ses pensées sur le déjeuner et la compagnie de Scott.

— N'est-ce pas ? renchérit Scott. La friture est si mauvaise pour la santé et si délicieuse à la fois. « Laissez les bons temps rouler », comme on dit par ici...

— Je croirais entendre mes cousins.

— Merci, dit Scott, sincèrement ravi.

Nicki se mit à rire. Il se joignit à elle...

Leur déjeuner achevé, ils poursuivirent leur promenade. En dépit des tentatives discrètes de Nicki pour s'en éloigner, Scott persistait à maintenir le cap, de détours en pauses devant les vitrines, sur le cœur de la vieille ville. Elle se sentait de plus en plus oppressée.

— Nous pouvons repartir à tout moment, lui glissat-il. Mais tu as déjà fait un bon bout de chemin. Ce serait dommage d'abandonner maintenant.

Elle acquiesça, la gorge nouée. *Elle pouvait repartir.* Le choix lui appartenait, à elle et à personne d'autre.

Ils arrivèrent peu après en vue du cottage créole dans lequel Nicki avait passé l'essentiel de son enfance. C'était un ancien bâtiment en stuc d'un étage, orné d'une balustrade en fer forgé et de portes-fenêtres sur la galerie supérieure. Elle lui jeta un regard furtif, comptant bien le dépasser sans s'arrêter. Mais elle avait ralenti le pas sans même s'en apercevoir, et se trouva bientôt incapable de détacher les yeux des fenêtres.

Scott s'arrêta en même temps qu'elle.

— Qu'y a-t-il ?

Nicki releva la tête avec lenteur, s'imprégnant de la nouvelle couleur des murs, un vert pimpant sur lequel le fer forgé dessinait un ourlet de dentelle blanche. Elle se sentait soudain étrangement désincarnée, comme si son esprit quittait son corps inerte pour le contempler à distance. Tentée de se blottir contre Scott, elle ne parvint pas à bouger. Etre ici, dans cette rue, devant cette maison, lui donnait l'impression irréelle de se retrouver seule au monde, livrée à elle-même, sans pouvoir se tourner ailleurs que vers le gouffre insondable de son propre cœur.

— Il a changé, s'entendit-elle murmurer.

— Ce cottage ? Tu t'en souviens ?

— J'habitais ici.

Scott referma la main sur la sienne. Un frisson de bien-être la parcourut.

— Il était rose, à l'époque. Je détestais ce ton criard… Les portes-fenêtres étaient dégondées. Je devais aussi faire attention à ne pas m'approcher trop près de la rambarde de la galerie, qui tenait mal.

Nicki prit une longue inspiration.

— Le Vieux Carré, ajouta-t-elle, fourmillait de dangers pour les petites filles.

Scott lui pressa la main sans rien dire.

Elle contempla encore un moment la bâtisse et hocha enfin la tête. Ils se remirent en route.

Dauphine, Royal Street sur la droite, puis à gauche Pirate's Alley. Nicki se laissa guider passivement vers l'endroit précis qu'elle souhaitait éviter, à telle enseigne que lorsqu'ils débouchèrent de l'allée, elle se trouva comme elle le redoutait dans Jackson Square.

Elle marqua un temps d'arrêt, pour absorber la scène qui s'offrait à ses yeux.

Cette place, autrefois terrain de manœuvres militaires, n'était plus guère qu'un petit parc assez insignifiant. Son centre s'ornait d'une monumentale statue équestre d'Andrew Jackson, septième président des Etats-Unis en l'honneur duquel avait été rebaptisée l'ancienne Place d'Armes. Tout autour, s'élevaient de très anciens édifices dominés par la cathédrale St-Louis. Naguère résidences du gouvernement espagnol, ces bâtiments abritaient aujourd'hui appartements et musées, maga-sins de souvenirs, restaurants… Des calèches prenaient ou déposaient leurs passagers sur Decatur Street, en aval du fleuve. Et contre la barrière de fer forgé qui ceinturait la place, des artistes de rue, des diseurs de bonne aventure et toutes sortes de marchands ambulants avaient élu domicile.

Jackson Square n'avait pas changé depuis l'enfance de Nicki.

Ces vieux bâtiments avaient été son école, son terrain de jeu, son église. Du déjeuner jusqu'au soir, depuis l'âge de quatre ans jusqu'à l'adolescence, la place était son royaume. Toutes ses connaissances travaillaient ici, des artistes bohèmes des années soixante et soixante-dix à l'ancienne prostituée reconvertie en marchande de fleurs qui la raccompagnait chez elle les soirs où son père sortait boire un coup et ne rentrait plus. Ces gens étaient à la fois ses amis et sa famille, ses protecteurs même, à l'occasion.

— Notre coin, dit-elle en pointant un emplacement à proximité du vendeur de glaces. Cet arbre nous abritait du soleil, en été. C'était important, de trouver de l'ombre.

Ils firent lentement le tour de la place, s'arrêtant quelquefois pour laisser un souvenir de Nicki remonter à la surface. Ce ne fut qu'après être revenue au point de départ que la jeune femme comprit ce qu'elle cherchait sans le savoir, et qu'elle n'avait pas trouvé, à son vif soulagement.

Aujourd'hui, sur Jackson Square, il n'y avait pas d'enfant se donnant en spectacle et flattant la foule pour quelques pièces.

Ses genoux tremblaient tellement que Scott lui offrit un cornet de glace. Elle s'assit à une petite table en terrasse devant le magasin pour le déguster. Une fois lancée, elle fut intarissable sur ses souvenirs d'enfance.

Même les plus sordides ne semblèrent pas rebuter Scott. Elle eut l'impression de dépouiller le passé de son pouvoir de nuisance.

— Tu ne me méprises pas, constata-t-elle.

— Bien sûr que non, répliqua-t-il en lui tendant une serviette en papier. Personne ne te mépriserait...

Nicki ferma les yeux.

— Pourtant le mépris était là, dans les regards de ces gens qui lançaient un peu de monnaie dans l'étui du saxophone...

— Ce n'était peut-être pas toi qu'ils méprisaient.

Elle rouvrit les yeux d'un coup.

— C'était lui, tu crois ? Je n'y avais jamais pensé...

— Tu étais petite. Les enfants sont tous pareils, je suppose. Ils se croient responsables de tout ce qui cloche dans leur vie. Moi-même, je n'ai pas échappé à la règle.

Nicki n'eut pas besoin de se faire préciser ce qui n'allait pas chez les Lyon. Le genre de fossé propre à scinder la famille en deux camps ennemis, entr'aperçu le matin même au palais de justice, ne se creusait pas en un jour. L'espace d'un instant, l'enfant blessé réapparut dans le regard de Scott. Et cette brève seconde de vulnérabilité toucha Nicki en plein cœur.

— Mais tu t'es libéré de ce sentiment, depuis, observat-elle. Tu as guéri...

— Pas tout à fait. Je supporte encore très mal les jalousies, les rancœurs, tout ce qui mine l'harmonie familiale.

— Au moins, tu as fait des progrès.

— Tu en as peut-être fait quelques-uns toi aussi, aujourd'hui.

S'il disait vrai, alors, pour l'essentiel, c'est à lui qu'elle devait ce miracle. Elle s'apprêtait à lui en faire confidence lorsque leurs regards se croisèrent. Soudain, elle eut tant de choses à dire à Scott, des choses infiniment plus essentielles, qu'elle flancha au moment de se lancer. Le risque était trop grand de confesser par inadvertance ce qu'elle n'était pas encore prête à admettre.

Elle aimait Scott.

Ses progrès ne l'avaient pas amenée jusque-là. Pour le moment, l'aveu de cet amour lui semblait une invitation au désastre.

Riva avait été la première étonnée que sa petite-fille décide d'assister à l'audience des Lyon. Cette initiative lui offrit cependant l'opportunité dont elle avait besoin.

Elle aussi se rendit à La Nouvelle-Orléans, mais elle se tint soigneusement à l'écart du palais de justice. La seule pensée de ce qui était en train de s'y dérouler l'attristait. Elle imaginait sans peine combien Margaret aurait été ravagée d'apprendre ce qui arrivait à sa famille.

Son ami chauffeur la déposa dans le Garden District sans poser de questions. Elle trouva facilement la maison qu'elle cherchait tant elle gardait un souvenir précis de sa dernière expédition dans le quartier, qui remontait pourtant à près de soixante ans. Elle avait alors fait les cent pas devant cette même demeure, guettant l'occasion d'agir, le cœur aussi inquiet qu'aujourd'hui.

225

L'époque avait changé, bien sûr. Lorsqu'elle avait intercepté la jeune Margaret Lyon, les résidents du quartier affichaient leur fortune avec plus d'éclat, ils s'aventuraient même parfois à pied dans les rues, ils empruntaient le tramway pour se rendre au centre-ville. L'homme qu'elle cherchait cette fois arrêta sa longue voiture rutilante devant le portail. Riva sentit sa résolution vaciller.

Et maintenant ?

Elle s'approcha des vantaux qui se refermaient après le passage de la voiture. L'homme se trouvait en sécurité derrière la grille ; elle ne l'était pas moins de ce côté-ci.

Ces barreaux d'acier qui les séparaient... N'était-ce pas un présage ?

Une douleur germa au fond de sa poitrine. Le voyage avait été pénible. Moins pénible toutefois que la *décision* qu'il avait fallu prendre...

Riva leva sa canne et l'abattit sur la grille, déclenchant un raffut de tous les diables.

La voiture pila net. Elle continua de frapper les barreaux tandis que s'ouvrait la portière du conducteur.

Sa poitrine lui faisait de plus en plus mal. Son vieux charlatan de médecin lui avait garanti qu'elle avait le cœur solide. Ce devait être le stress, la peur. Rien de plus.

Debout près du capot, l'homme la considérait d'un air perplexe. « Belle prestance », songea Riva. Il était même plus grand que son père. Ses tempes grisonnaient à peine.

— Y a-t-il un problème ? s'enquit-il avec une extrême courtoisie.

Riva sourit. Certains riches n'auraient pas manqué d'insulter une vieille excentrique s'acharnant sur leur portail. Mais pas André.

— J'ai à vous parler, répondit-elle.

Manifestement sceptique, André esquissa quelques pas dans sa direction.

— Oui ?

Son insigne amabilité émut Riva aux larmes. Margaret devait être fière de cet homme. Elle aussi, éprouvait une certaine fierté. N'avait-elle pas fait le bon choix, toutes ces années plus tôt ? Et aujourd'hui, avait-elle pris la bonne décision ?

La douleur, près du cœur, avait déjà disparu.

— J'ai une chose très importante à vous dire. A propos de votre mère, précisa Riva en agrippant les barreaux.

André Lyon rouvrit le portail en toute hâte et s'approcha d'elle.

— Que savez-vous sur ma mère ? s'exclama-t-il. Où est-elle ? Est-ce qu'elle va bien ?

Il avait emprisonné ses deux mains. Une angoisse indicible assombrissait son regard. A cette vue, les larmes qui gonflaient les paupières de Riva dévalèrent ses joues parcheminées.

— S'il vous plaît ! supplia-t-il.

Son silence le faisait souffrir. Il lui fallait trouver les mots, vite.

— J'ignore où est Margaret, articula Riva, mais je l'ai connue, à une époque, il y a longtemps. Je dois vous dire une chose qu'elle voudrait que vous sachiez, maintenant que votre famille a des ennuis.

André fit entrer son étrange visiteuse dans la bibliothèque. Il ne savait trop pourquoi, d'ailleurs. Que cette femme aux habits voyants et râpés ait fréquenté sa mère semblait hautement improbable. Elle avait cependant un je ne sais quoi d'attendrissant...

Margaret aussi, avait le don d'émouvoir ainsi ses interlocuteurs. Elle avait sans doute aidé cette femme à un moment de sa vie, que celle-ci souhaitait maintenant partager avec lui. Alors même qu'il ne rêvait que d'une soirée tranquille en compagnie de sa femme, André n'eut pas le cœur de la renvoyer.

Si Gaby était là, d'ailleurs, elle saurait le conseiller sur la conduite à tenir. Son épouse était si avisée quand il s'agissait de gérer les situations délicates... Mais elle était à l'étage, avec Andy-Paul, et André répugnait à la déranger pour ce qu'il espérait n'être qu'une bagatelle.

Riva Reynard Bechet.

A l'énoncé de ce nom, André sentit un vague malaise l'envahir. S'agirait-il de cette même femme qui, selon Scott, faisait une sorte de fixation sur la famille Lyon ? Il se rappela alors l'avoir vue pleurer, tout à l'heure. Sa fixation n'était peut-être que l'expression de sa gratitude envers une main secourable oubliée depuis longtemps.

Mme Bechet accepta avec un soulagement manifeste l'invitation qu'il lui fit à s'asseoir. Elle ferma les yeux un moment, les doigts serrés sur sa canne et son châle d'un violet tapageur.

— J'ai connu d'abord votre père, dit-elle enfin d'une voix grêle et légèrement chevrotante. Avant qu'il n'épouse Margaret.

— Dans ce cas, cela remonte à loin, observa poliment André.

Après un nouveau silence, elle le regarda droit dans les yeux.

— Inutile de tergiverser plus longtemps. Les faux-fuyants ne me faciliteront pas la tâche. André... Je suis ta mère.

Il se leva d'un bond. Cette femme était complètement sénile.

— Veuillez m'excuser, madame Bechet, ceci...

— Non, s'il te plaît.

La voix s'était résolument affermie.

— Paul et moi... Ce fut une liaison très brève. Mais tu as été conçu. Je l'ignorais, au début, bien sûr. Lorsque je l'ai découvert, Paul courtisait déjà Margaret. Je ne savais pas quoi faire. J'avais si peur...

André vacilla. La tête lui tournait. Il avait besoin de Gaby. Toute cette histoire était grotesque, une affabulation outrancière.

— Madame Bechet, si c'est de l'argent que vous voulez, sachez que...

— L'argent, je m'en moque.

Son sourire sembla à André empreint de mélancolie.

— Tout ce que je voulais, reprit-elle après une brève hésitation, c'était la meilleure vie possible pour mon fils. Qu'on ne le traite jamais en bâtard d'un homme riche. Tu saisis ? Alors, je suis allée trouver Margaret. Je lui ai offert mon enfant. Le fils de son mari.

— Je pense, articula péniblement André, que vous feriez mieux de partir, maintenant.

La vieille dame fit comme si elle n'avait rien entendu et poursuivit :

— Margaret a eu l'immense mérite de partager mon souhait. Elle a voulu que le fils de Paul soit élevé comme un Lyon. Une femme remarquable, Margaret.

Après sa matinée éprouvante au palais de justice, ces élucubrations achevèrent de pousser André à bout.

— Sortez de chez moi, madame Bechet. Tout de suite ! Et si vous tentez de colporter ailleurs vos odieux mensonges, sachez que je vous traînerai en justice pour diffamation !

Hochant la tête, elle se leva à son tour.

— Je comprends ta réaction.

Au prix d'un effort méritoire, André attendit debout qu'elle ait franchi la porte, emportant avec elle ses calomnies.

— Margaret a accepté que tu reçoives le prénom de mon père, dit-elle encore avant de sortir. Je n'ai jamais connu de femme plus altruiste. A mes yeux, elle est une sainte.

Sur ce, Mme Bechet disparut de sa vue.

Une fois seul, André se laissa choir dans un fauteuil, trop épuisé pour monter à l'étage supérieur en quête de Gaby. L'histoire était évidemment invraisemblable. Aussi infondée que les accusations d'Alain... et malgré tout, infiniment plus troublante.

Cette nouvelle, délivrée par une frêle et vieille dame aux yeux embués de larmes, l'avait secoué jusqu'à l'âme.

Qui était-il ?

Ses deux parents disparus, vers qui se tournerait-il, maintenant, pour obtenir la vérité ?

14.

Décidément, Raymond ne comprendrait jamais son frère aîné. Alain avait quelquefois des réactions de vieille femme. Un de ces jours, il trouverait le courage de lui asséner en face ses quatre vérités.

Réunis dans un salon privé de Chez Charles, ils prétendaient partager un dîner de fête. Le juge aux yeux aiguisés — Ray avait la chair de poule rien qu'en songeant à son regard — avait statué en leur faveur. Une humiliation totale pour l'autre branche de la famille. La preuve : à la sortie du palais, les visages étaient consternés. De l'avis de Ray, un toast s'imposait.

Mais son convive faisait une tête d'enterrement. Allez comprendre !

— Déplace-la, marmonna Alain en allumant l'un des cigares cubains qu'il adorait exhiber en public.

Ce sujet rendait Raymond nerveux, ces jours-ci. Il se pencha au-dessus de la table et répliqua, en prenant soin de pas hausser la voix :

— Maintenant ? Pourquoi prendre des risques maintenant ?

— Tu l'as placée trop près d'ici. Ce procès va déclencher

une curée médiatique. Je n'ai pas envie qu'un infirmier d'un bled de l'Arkansas la reconnaisse.

Raymond se retint de lever les yeux au ciel. Alain s'imaginait être le cerveau de l'affaire, mais Ray commençait à trouver qu'il manquait drôlement de cran.

— Bah, n'importe quoi…

— Déplace-la, Ray.

C'était un ordre. Comme toujours, Alain aurait le dernier mot.

Qu'il en profite, songea Raymond. Bientôt, il ne serait plus en position de jouer les despotes. Une fois entre leurs mains, le magot serait équitablement partagé. Un quart ou même un tiers, pour peu que Scotty reste hors du coup, reviendrait à *chacun* des frères. Ils deviendraient donc des *égaux*.

— D'accord, soupira-t-il, je m'en occupe.

— Immédiatement !

Seigneur ! Quelquefois, Ray devait se retenir de lui rentrer dedans.

— Tu veux dire… Là, ce soir ?

— Oui, c'est exactement ce que je veux dire.

Ray jeta sa serviette sur la nappe et sortit, laissant Alain empuantir l'air du salon privé avec son cigare monstrueux.

Qu'il aille au diable ! La vieille carne était très bien là où elle était.

Scott était occupé au montage de la vidéo de Nicki. L'exercice lui plaisait. Il aimait transformer des kilomètres de film sans homogénéité apparente en un éclairage cohérent sur un événement, un problème de société, une personne ou encore un lieu.

Il fit rouler ses épaules et envisagea d'arrêter là pour aujourd'hui. Il en profiterait pour passer quelques coups de téléphone en réponse à quelques petites annonces dont on lui avait parlé, mais il n'était pas certain que les emplois proposés correspondent à ses aspirations. Ce qu'il cherchait, c'était un travail gratifiant. Peut-être devrait-il d'abord contacter André, pour solliciter son avis ? Cette idée lui parut sage. Il entreprit de ranger ses affaires.

Trois jours avaient passé depuis l'audience et le tournant décisif qu'avait pris sa relation avec Nicki. Ils n'avaient pas refait l'amour, mais même sans cela, Scott se rendait bien compte que leurs relations avaient évolué vers une plus grande intimité. Il n'avait même pas revu Nicki, mais qu'à cela ne tienne, ils s'étaient parlé par téléphone, longuement. Aujourd'hui, il se rendrait peut-être dans le Bayou Sans Fin.

Ou peut-être pas. Il ne voulait pas exercer de pression excessive sur Nicki.

D'abord, soumettre à André ces offres d'emploi. Son cousin connaissait les responsables de l'entreprise concernée , il saurait le renseigner sur le sérieux du projet.

La secrétaire d'André l'informa que son cousin était absent ; comme Scott insistait, demandant quand il serait possible de le joindre, Francie se fit évasive et lui suggéra de s'adresser à Crystal, avec laquelle elle le mit en relation.

— Qu'est-ce qui se passe, Crystal ? s'écria Scott dès qu'il eut sa cousine au bout du fil. Francie s'est comportée comme un agent de la CIA quand j'ai demandé à parler à André...

Un long silence accueillit sa question.

— Je n'apprécie vraiment pas que tout cela me tombe dessus.

— Qu'est-ce qui te tombe dessus ?

— Si jamais un de tes frères t'a soufflé l'idée...

— *Quoi* ?

— Bon, bon, je sais, c'est tout à fait impossible.

— Alors quoi ? C'est à propos de tante Margaret ? Vous avez trouvé une piste ?

— Non. J'aimerais bien comprendre, moi aussi, figure-toi. Même Gaby fait mine de ne rien savoir...

Scott s'affaissa dans son fauteuil.

La famille se désintégrait.

— Tu me fais peur, sais-tu ?

— Pardon, soupira Crystal. André... ne s'est pas présenté au bureau depuis l'audience.

Scott en resta coi. Aussi loin que remontaient ses souvenirs, André n'avait pas manqué un seul jour de travail. Il était même passé en coup de vent à WDIX-TV le matin de l'enterrement de son père, pour superviser la couverture de la cérémonie et s'assurer que le service informations ne dépassait pas la mesure. Il devait tenir de sa mère cette abnégation professionnelle. Après avoir été durant de longues années celui de Margaret, la chaîne était désormais le bébé d'André.

— Le procès ? suggéra Scott, pensif. Je suppose qu'il accuse le coup...

— Au déjeuner, ce jour-là, il m'a paru d'attaque, et même plutôt optimiste quant à la suite des événements...

234

— Alors, que s'est-il passé ?

— Ça, mystère. Le soir, il a refusé de dîner. Seigneur, Scott, Leslie m'a dit qu'il ne quittait plus sa chambre. Nous sommes tous très inquiets. Nous avons perdu oncle Paul, puis tante Margaret... Si maintenant nous perdons André, la famille ne s'en remettra pas...

Scott crispa les doigts sur le combiné.

— Laissons-lui le temps de se reprendre, dit-il, s'efforçant de maîtriser le tremblement de sa voix. Il a traversé tant d'épreuves ces derniers temps. Il a peut-être besoin de prendre un peu de recul...

— Bien sûr, répliqua Crystal. Et tante Margaret est en train de faire son deuil sur une île des Caraïbes ! Génial, voilà que je pleure maintenant...

— Que puis-je faire pour toi, cousine ?

— Si je le savais ! Il faudrait d'abord découvrir avec qui il a discuté en rentrant chez lui ce fameux jour. D'après Leslie, il refuse d'évoquer le sujet.

— Il a discuté avec quelqu'un ? A Lyoncrest ?

— Oui. Une vieille folle, d'après le jardinier, qui tapait sur le portail, tu te rends compte ? C'est bizarre, non ? André l'a tout de même invitée dans la bibliothèque et a refermé la porte.

Scott luttait maintenant contre la panique.

— Une vieille folle, tu dis ?

— Elle portait un châle violet hideux et s'appuyait sur une canne pour marcher. C'est tout ce dont se souvient le jardinier. Et personne, dans la famille, n'a la moindre idée de son identité !

Scott murmura quelques paroles de réconfort, mais son esprit s'évadait très loin de cette conversation, vers une matriarche excentrique nantie d'un châle violet et d'une canne. Une nausée le secoua. Sur le coup, il regretta presque d'avoir parlé avec Crystal ; s'il s'était abstenu, il aurait pu garder la tête dans le sable un peu plus longtemps.

Désormais, il fallait agir.

Quel que soit le secret liant les Lyon et les Bechet, le moment était venu de le dévoiler au grand jour. Le soir où Nicki était venue le trouver chez lui, il avait eu le sentiment que la jeune femme lui cachait quelque chose. Un sentiment qu'il avait ignoré jusque-là… Mais à présent, ils devaient affronter la vérité en face.

Scott détestait l'idée de voir revenir la peur et l'hostilité sur le visage de Nicki. Aurait-il suffisamment de pouvoirs magiques pour bannir les démons une seconde fois ?

La famille…

Quand donc cesserait-elle de saccager sa vie ?

Nicki était hors d'elle.

Voilà trois jours entiers que Maman Riva gardait le lit. Pâle, affaiblie, elle refusait tout net de manger, comme, bien sûr, de voir le médecin. Son énergie inépuisable, que Nicki admirait depuis toujours, semblait l'avoir quittée…

La jeune femme contempla sa grand-mère qui reposait sur l'oreiller, les yeux clos, si amaigrie après quelques jours de jeûne que son corps formait à peine une bosse sous le drap. Avec un soupir, Nicki prit le bol de soupe posé sur la table de chevet et se pencha vers son visage.

— Maman, il faut que tu manges ! dit-elle d'une voix

douce mais ferme. C'est T-John qui a préparé cette soupe. Il m'a dit que c'était sa meilleure recette.

Maman Riva eut un mouvement de tête imperceptible. Elle n'avait plus prononcé une parole depuis qu'elle était couchée là.

— Maman, ne fais pas ça.

Elle reposa le bol pour essuyer les larmes qui lui montaient aux yeux.

— Dis-moi ce qui ne va pas ! Je ferai ce qu'il faudra, et tout s'arrangera, je te le promets. Mais tu dois me parler !

Il n'y eut ni réponse ni réaction d'aucune sorte.

Trois jours durant, ses enfants et petits-enfants s'étaient relayés pour tenter de rétablir le contact avec elle. En pure perte. Même son arrière-petite-fille avait échoué. Fidèle à son obstination légendaire, Riva avait apparemment décidé de se laisser mourir.

Nicki s'assit tout au bord du lit.

— Ne m'abandonne pas, Maman, murmura-t-elle d'une voix étranglée. Je te l'interdis, tu m'entends ?

Un sanglot l'empêcha de continuer. Elle avait pleuré toutes les larmes de son corps, ou presque, quand une main se posa sur son épaule. Levant les yeux, elle plongea dans ceux de Scott.

Il l'enlaça et la serra contre lui.

— Tu aurais dû me le dire, chuchota-t-il. Je serais venu tout de suite.

— Je… je n'ai pas pour habitude d'appeler à l'aide.

— Il faudra t'y faire, pourtant, Nicki.

Elle hocha la tête, s'écarta pour essuyer ses larmes et regarda Scott. A sa vive surprise, il contemplait sa grand-mère avec intensité.

— Depuis quand est-elle dans cet état ? demanda-t-il.

Nicki fit un effort pour recouvrer une voix calme.

— Depuis trois jours. Elle était sortie, d'après Beau, et quand elle est revenue...

La jeune femme déglutit.

— Nous pensions qu'elle s'était trop dépensée, qu'elle avait juste besoin de repos. Mais... C'est comme si elle avait renoncé à vivre...

— Je t'aime, Nicki, sais-tu ?

Les circonstances ne se prêtaient guère à l'échange de confidences, mais Nicki se sentait si démunie en cet instant qu'elle n'eut d'autre choix que de réagir par la plus grande franchise.

— Moi aussi je t'aime, Scott. Dieu m'en est témoin, je t'aime !

— La dernière chose que je souhaite, serait de te faire du mal...

De nouveau, les paroles de Scott lui parurent hors de propos.

— Je le sais, dit-elle.

— Nicki, je dois parler avec ta grand-mère. Il serait préférable que tu nous laisses, mais... tu voudras rester, je présume.

— Bien sûr que je veux rester ! Pourquoi est-ce que je m'en irais ? Scott, tu te conduis bizarrement...

Il l'embrassa alors, très doucement, et lui prit la main en esquissant un sourire qui n'avait rien de gai. Puis il se tourna vers Riva.

— Madame Bechet... Je sais que vous ne vous sentez pas bien. Cela vous intéressera peut-être d'apprendre qu'André dépérit lui aussi.

238

Nicki fronça les sourcils. Pourquoi parlait-il de son cousin ?

Jetant un coup d'œil à sa grand-mère, elle eut la surprise de voir frémir ses paupières.

— Pourquoi êtes-vous allée chez mon cousin, madame Bechet ? De quoi avez-vous parlé, tous les deux ?

Comment pouvait-il supposer une chose aussi ridicule ?

— Scott, vraiment...

Scott leva la main pour faire taire sa compagne.

— Le jardinier vous a vue. C'était bien vous, n'est-ce pas, Riva ?

Nicki porta la main à sa bouche pour étouffer un petit cri. Que signifiait tout cela ?

— Riva, j'aime votre petite-fille. J'aimerais construire un avenir avec elle et je crois qu'elle aussi commence à se faire à cette idée, ajouta-t-il en se tournant vers Nicki pour sonder son expression. J'ignore ce qui se passe entre votre famille et la mienne, mais... cela risque fort de gâcher toutes nos chances d'y parvenir. André refuse de parler, Riva. Vous êtes notre seul espoir. Le seul espoir de Nicki.

Plus Scott plaidait pour une révélation, plus Nicki éprouvait le besoin de noyer sur-le-champ ce qui se devinait sous la surface. Oui, une force qu'elle ne comprenait pas avait agi sur sa grand-mère. Elle l'avait incitée à garder les Lyon à l'œil depuis plusieurs dizaines d'années. A manipuler la vie de chacun afin de réunir les Lyon et les Bechet. A tester les limites de son corps âgé pour se confronter à l'un des Lyon...

Quel secret liait Riva Bechet à la famille Lyon ?

Nicki regarda Scott, puis sa grand-mère, et s'aperçut

239

que celle-ci la dévisageait. Alors, la lumière se fit dans son esprit. Ce secret était en train de tuer Maman Riva.

Elle toucha la joue de l'aïeule, froide et étonnamment douce, en dépit des fins sillons qui la creusaient.

— Dis-nous, Maman.

Le regard voilé de Riva voyagea du visage de Nicki vers celui de Scott, puis revint se poser sur sa petite-fille avec un amour, une vénération que Nicki n'avait encore jamais vus. Elle qui croyait sa grand-mère immunisée contre l'émotion ! Peut-être avait-elle seulement échoué à la déceler. L'amour l'effrayait tant, qu'elle ne pouvait l'accueillir autrement qu'avec maladresse...

Mais elle avait changé, grâce à Scott et à sa douce persévérance. Elle sourit à Maman Riva dont le visage perdit un peu de son angoisse. Les mots furent difficiles à prononcer, mais elle savait que Riva avait besoin de les entendre.

— Je t'aime, quoi que tu aies fait, ou quoi qu'on t'ait fait...

— Dans le tiroir, prononça Riva d'une voix faible.

Elle regarda Scott et fit un signe vers la table de chevet.

— La photo.

Scott jeta à Nicki un regard interrogateur. Elle haussa les épaules, aussi désorientée que lui. Il ouvrit alors le tiroir et en sortit un vieux cliché. C'était un portrait de groupe. Nicki reconnut son père, son oncle et sa tante. Scott l'étudia avec soin, puis leva les yeux vers Riva.

— Mes enfants, dit-elle. Mais il en manque un.

Elle se tourna vers Scott et ajouta :

— André est ton cousin...

Puis, à Nicki :

— Et ton oncle. C'est mon fils, conclut-elle en fermant les yeux.

En dépit de ce qu'elle venait d'affirmer à sa grand-mère, Nicki éprouva un instant de confusion. Puis le déni l'emporta, suivi d'une bouffée de rage impuissante. Elle aurait voulu faire machine arrière, pour s'épargner les conséquences de la confession de Riva... Mais tout cela était si dérisoire. Les mots, eux, ne mentaient pas. Ils clarifiaient sans doute certaines énigmes que Nicki n'avait jamais totalement résolues.

Ainsi, la raison qui incitait Maman Riva à la renvoyer chez son père à chacune de ses fugues. « Un enfant, martelait-elle, ne devrait jamais être séparé de son père. » Ou le sentiment qu'avait David Bechet de n'être jamais à la hauteur des espérances de sa mère...

Un sentiment fondé, peut-être. Dans le secret de son cœur, Riva nourrissait-elle le regret que David ne fût pas quelque chose de plus... ou *quelqu'un* d'autre ?

Une fois lancée, Riva leur fournit un luxe de détails que Nicki put à peine assimiler.

La brève aventure avec Paul Lyon, le marché peu orthodoxe scellé avec la jeune épousée, le lien qui s'était forgé entre les deux femmes au fil des années... Quoique stupéfiante, cette histoire était, dans l'esprit de Nicki, indubitablement vraie. Le visage de sa grand-mère, qu'elle ne quittait pas des yeux, flamboyait d'une probité absolue. Riva Bechet était prête à tout, à l'époque, pour protéger son fils, son premier-né. Par la suite, tandis qu'elle s'occupait des enfants restés sous son aile, une part d'elle-même était ailleurs, loin, auprès de l'aîné abandonné et perdu.

Nicki eut soudain l'impression d'étouffer. Elle commençait à comprendre que sa famille ne serait plus jamais la même.

Un jour prochain, les Bechet succomberaient sous les griffes des Lyon.

15.

Ils descendirent l'escalier sans se toucher.

Scott aurait aimé prendre Nicki dans ses bras pour la réconforter. Mais il sentait son besoin de repli sur soi, et n'était pas certain de posséder l'énergie mentale nécessaire pour le combattre dans ces circonstances... Lui aussi était sous le choc, douché par l'histoire de Riva Bechet.

Il ne demandait qu'à lui tendre la main. Cette fois pourtant, c'était à elle de faire le premier pas, celui qui coûte.

— Je me trompe, ou tu m'éconduis de nouveau ? demanda-t-il comme elle se dirigeait droit vers la porte.

— Scott...

— Hors de ta maison. Hors de ta vie, même.

Il avait conscience que sa voix trahissait son dépit. Nicki ne méritait pas d'être ainsi agressée, mais ce fut plus fort que lui.

La bagarreuse Nicki se dressa aussitôt sur ses ergots.

— Nous pouvons nous battre là-dessus, si ça te chante ! le tança-t-elle.

— Est-ce que cela t'aiderait, de m'accuser ?

— Je ne t'accuse pas.

— Ma famille, alors ?

Nicki ouvrit grand la porte.

— Je ne blâme personne de ce… ce gâchis.

— Alors, quoi ?

Elle sortit sur le perron, descendit la volée de marches et se dirigea vers le marais. Scott la suivit à distance et la rattrapa sur le vieux ponton.

— La vie n'est pas un long fleuve tranquille, Nicki…

— A qui le dis-tu !

— C'est la manière dont nous négocions les écueils qui détermine notre identité profonde.

Elle se retourna vivement. Ses yeux lançaient des éclairs.

— Cesse de me faire la morale, Scott. Je négocierai cet obstacle-là à ma manière. Et tant pis si ce n'est pas la meilleure !

— Très bien.

Il s'aperçut qu'il la toisait avec colère, sous le coup de la déception.

— Que vas-tu faire de ces informations ? s'enquit-elle à brûle-pourpoint.

La question offrit à Scott un aperçu de la direction que prenaient les peurs de Nicki. La notoriété, le scandale, les feux des projecteurs… Tout ce cirque, une nouvelle fois. Il compatit, sincèrement. Mais pas assez pour étouffer la colère qui lui venait en constatant qu'elle choisissait de se défendre en s'en prenant à lui.

— Je ne sais pas, répondit-il. Franchement, je n'en sais rien.

Elle le dévisagea d'un air sceptique.

— J'aimerais que nous soyons du même côté, Nicki. Mais nous ne pouvons pas lutter ensemble si ton premier réflexe est de m'attaquer chaque fois que les éléments se déchaînent contre nous.

Il attendit un moment, guettant chez Nicki un signe, une fêlure, un mouvement indiquant que ses mots ne resteraient pas lettre morte... Qu'elle commençait à douter, à réviser sa position... Comme elle ne desserrait pas les dents, les lèvres obstinément pincées, il fit volte-face et rebroussa chemin.

En arrivant à la voiture, il évita de regarder vers le ponton. Peu après, il poussait le volume à fond sur un blues de Merle Haggard tout en caressant le projet d'entrer dans le premier bar qu'il croiserait sur sa route pour prendre la cuite de sa vie.

Ingurgiter suffisamment d'alcool pour mener son projet à bien l'occupa le restant de la soirée. A son réveil, le lendemain, le problème était encore intact.

Que faire ?

Assis sur son lit, il contempla une nouvelle fois la photographie que lui avait confiée Riva. La gueule de bois ne lui facilita pas la tâche au moment de décider de la conduite à tenir vis-à-vis de sa propre famille.

Ou de Nicki.

L'envie de décrocher son téléphone lui chatouillait les doigts, mais il s'abstint. Il était trop tôt.

D'abord, il irait rendre une petite visite à Alain. Dès que sa migraine se serait un peu estompée...

Il se présenta dans le bureau de son frère vers le milieu

de l'après-midi. A condition d'éviter les mouvements brusques et les cris suraigus, les battements sourds qui lui vrillaient les tempes restaient supportables.

— Tu as l'air fatigué, Scotty.

Alain quitta son fauteuil pour gagner le bar et se verser un whisky. Il eut un geste en direction de Scott, qui secoua la tête et s'en repentit aussitôt.

— Tu ne boirais pas un peu trop, ces temps-ci ? Le chômage a parfois des effets secondaires graves, paraît-il. Certains se sentent même atteints dans leur virilité.

Alain distillait ce genre de piques depuis si longtemps que Scott, l'esprit ailleurs, mit quelques secondes à saisir la perfidie du sous-entendu. Il songea malgré lui aux taquineries joyeuses que s'échangeaient les cousins Bechet, sans une once d'agressivité...

— Je veux que tu retires ta plainte, asséna-t-il tout de go à son frère.

Là. Pas de détours. Un direct au foie.

Alain se figea, le verre à mi-chemin de ses lèvres, et plissa les yeux.

— Tu dois être vraiment ivre...

— Toute cette affaire est absurde et tu le sais aussi bien que moi. Sans parler des souffrances qu'elle provoque au sein de la famille.

Le verre d'Alain claqua sur le plateau du bureau.

— La faute à qui ? Si Paul et les siens ne s'étaient pas acharnés contre papa...

— Foutaises !

Alain se pencha en avant. Tentative d'intimidation, supposa Scott.

— Avec qui as-tu parlé ? Quelqu'un t'a tourné la tête, petit frère.

Scott se leva, bien décidé à ne pas lâcher le morceau.

— J'ai subi toute ma vie tes raisonnements de malade, et j'en ai assez. Papa a reçu une part moindre des biens Lyon parce qu'il n'avait pas l'étoffe d'un homme d'affaires. Il a même réussi à gaspiller tout ce qu'il avait reçu. Tu n'oserais pas prétendre le contraire ?

Alain pointa vers la poitrine de Scott un index menaçant.

— A ta place, je garderais les défauts de papa présents à l'esprit. Tu ne t'es pas exactement révélé un battant, Scotty. Je me demande si tu mériteras ta part du gâteau, au bout du compte.

— Je me contrefiche de l'argent familial. Il n'a causé que des problèmes.

— Tu sais… Ce n'est pas une bonne stratégie de faire de moi ton ennemi.

— Retire ta plainte, Alain.

— Donne-moi une seule bonne raison de suivre ton conseil — en dehors du fait que tu laisses la progéniture d'André t'empoisonner la cervelle.

— Mais parce que c'est un foutu mensonge ! André est un Lyon et tu le sais pertinemment. Regarde-le. Ecoute-le. Il est le portrait craché d'oncle Paul !

— Tu n'as pas toutes les données en main.

— Parle pour toi, lui renvoya Scott du tac au tac.

— Pardon ?

Il se rendit compte qu'il était allé trop loin. Cette information-là, mieux valait s'abstenir de la partager avec un individu aussi mesquin et retors qu'Alain.

— Oncle Paul est le père d'André. C'est un fait, que cela te plaise ou non.

Alain reprit son verre et avala une longue gorgée de whisky.

— Nous avons des documents, Scott. Des registres d'hôpital. Des actes d'adoption. Ces papiers auront davantage de poids devant le juge que l'affirmation de vagues ressemblances physiques...

— Tu ne devrais pas faire ça, Alain.

— C'est toi qui ne devrais pas te mettre en travers de ma route !

— Pour une fois, essaie de penser à autre chose qu'à ta petite personne. Pense à la famille !

— La famille... Je ne pense qu'à ça, justement. A *ma* famille. A *notre* famille. Pas à tante Margaret et au ramassis de caractériels qui gravitaient autour d'elle. Nous détenons des procès-verbaux attestant qu'elle ne pouvait concevoir, à cause d'une infection quelconque attrapée quand elle était gamine. Tante Margaret était stérile ! Tu ne savais pas ça, hein ?

Non, Scott ne le savait pas. Et la satisfaction qui se peignit sur le visage de son frère prouva qu'il n'avait pas été capable de dissimuler sa surprise.

Cette nouvelle donnée jetait un éclairage particulier sur l'histoire ahurissante contée la veille par Riva, à Cachette en Bayou. Telle qu'il connaissait tante Margaret, sa stérilité n'avait pu qu'accroître sa détermination à assurer la survie du nom des Lyon par tous les moyens. Riva Reynard Bechet lui en avait fourni un excellent, à point nommé...

Alain esquissa un sourire suffisant.

— C'est bien ce que je pensais. Sainte Margaret nous a tous menés en bateau, Scotty. Papa a toujours pensé que Margaret avait épousé Paul pour donner un père fortuné à l'enfant d'un autre, mais la vérité était plus tortueuse encore... N'est-ce pas cocasse ?

Scott ne put supporter plus longtemps d'écouter des mensonges aussi éhontés.

— Je veux que tu retires ta plainte, Alain, gronda-t-il. Dès ce soir.

— Sinon ?...

— Sinon, je suggérerai à André que son détective privé se penche sur l'étrange et soudain intérêt de Raymond pour les maisons de santé. Que crois-tu qu'il découvrira, grand frère ?

Ce fut au tour d'Alain de blêmir. Scott vit alors ses pires craintes confirmées.

Pris d'une violente nausée qui n'avaït qu'un lointain rapport avec sa soirée trop arrosée de la veille, Scott tourna les talons et gagna directement Lyoncrest.

André, le prévint-on dès son arrivée, refusait les visites. Scott s'engagea tout de même dans l'escalier, ignorant les protestations de la gouvernante puis celles de Gaby apparue sur le palier pour le prier de patienter, et pénétra dans les appartements d'André.

Son cousin était assis dans un fauteuil près d'une fenêtre donnant sur la roseraie. Il parut d'abord surpris, puis très contrarié par cette intrusion.

— Scott, si cela ne t'ennuie pas, je...

— Ecoute seulement ce que j'ai à te dire.

— Plus tard, peut-être. Je...

Gaby entra dans la pièce en coup de vent.

— Je suis désolée, chéri ! J'ai tenté de l'intercepter, mais...

— Je viens de demander à Alain de retirer sa plainte, dit Scott. Je ne sais pas s'il le fera, mais dans le cas contraire, je lui dirai la vérité. Alors, il sera contraint de tout arrêter.

Le visage d'André se ferma.

— Tu saisis mal, je crois, les implications de ce que tu me racontes là, déclara-t-il, choisissant ses mots avec soin.

Gaby se posta derrière André, une main posée sur son épaule, et toisa Scott d'un regard qu'il espéra ne plus jamais revoir dans ses yeux.

— Scott, la situation n'est-elle pas déjà suffisamment confuse pour que tu t'abstiennes de t'en mêler ?

Scott secoua la tête avec tristesse.

— Non, Gaby. J'ai depuis toujours l'habitude de ne me mêler de rien. Cette époque est révolue. André... Je sais, pour Riva Bechet.

Gaby pâlit, tandis qu'André détournait la tête vers la fenêtre.

— Elle ment, dit-il.

— Non, elle ne ment pas, et tu le sais. Elle n'aurait rien à gagner à mentir.

— L'argent, intervint Gaby. Extorsion de fonds... Voilà où mènent ses affirmations scandaleuses.

Scott tripotait la photo dans la poche de sa veste.

— A-t-elle proféré des menaces, André ? A-t-elle demandé quoi que ce soit ?

— Je ne lui en ai pas laissé le loisir.

— Eh bien, je l'ai vue, hier, figure-toi. Riva est alitée. Décidée à se laisser mourir.

Ces mots eurent au moins le mérite de faire hésiter André, qui ne fit aucun commentaire.

Les épaules de Gaby s'affaissèrent.

— Tout cela est tellement... inconcevable, murmura-t-elle.

Scott s'approcha et déposa la photo sur les genoux d'André.

— Voici tes demi-frères et ta demi-sœur, André. Riva possède également plusieurs lettres signées de Margaret.

Gaby étouffa un gémissement.

— Ma mère... commença André.

— Ta mère, dit Scott, repose dans son lit, dans une vieille ferme de Bayou Sans Fin. Tout ce qu'elle veut, c'est que tu lui pardonnes d'avoir fait ce qu'elle croyait juste pour toi.

André ne toucha pas la photographie. Gaby s'agenouilla près de lui et emprisonna ses mains dans les siennes. Emu par la profondeur de leur attachement, Scott les laissa seuls.

Aujourd'hui, il avait réussi le tour de force de s'aliéner les deux branches de la famille.

Du moins avait-il fait son devoir. Si tante Margaret était là, elle comprendrait.

Nicki resserra la couverture autour des jambes de sa grand-mère et s'accorda le plaisir d'apprécier ce contact physique avant de s'écarter.

Qu'il était doux de voir Maman Riva assise sur la terrasse, un peu plus maigre, un peu plus frêle, mais profitant une fois encore du spectacle de son domaine...

L'aïeule grommela quelques mots indistincts.

— Pardon ? fit Nicki.

Pour toute réponse, Riva émit un grognement.

— Qu'est-ce qui te ferait plaisir ? Une autre tasse de café, peut-être ?

Perdu battit des ailes et fixa Nicki.

— Laisse-moi ! coassa l'oiseau.

Nicki se mit à rire devant cette imitation parfaite du ton grognon de sa maîtresse.

— C'est ta faute, Maman ! rétorqua-t-elle. La prochaine fois que tu décides de t'aliter, sois prête à en assumer les conséquences !

Riva tourna vers elle un regard fatigué mais empreint d'une infinie douceur.

— Tu es une petite-fille merveilleuse, Nicolette.

Nicki tomba à genoux près d'elle et cueillit l'une de ses mains striées de veines bleues entre les siennes.

— Je m'y efforce. Accroche-toi encore longtemps, parce que je compte sur toi pour me dire quand j'y parviens.

Les yeux de Riva s'embuèrent de larmes.

— Je me suis accrochée trop longtemps déjà, il me semble. Je n'ai fait qu'aggraver une chose déjà pénible.

Nicki baisa les doigts de sa grand-mère.

— Je dirais plutôt que tu as redressé la situation.

— Ah ! Par bonheur, Margaret n'est pas là pour voir ce qu'a fait cette vieille idiote...

— Tu l'aimais beaucoup, n'est-ce pas ?

— C'est une femme remarquable. Je...

Riva se tut et inclina la tête.

Une portière venait de claquer dans l'allée.

Nicki aussi l'avait entendue, et son cœur battait déjà

la chamade. Ils n'attendaient personne, mais ce pouvait être Beau, qui semblait ne plus pouvoir se passer de la compagnie de sa grand-mère depuis qu'elle avait décidé de réintégrer le monde des vivants...

Ou ce pouvait être Scott.

S'intimant le calme, Nicki se leva.

— Je vais voir qui c'est.

Riva lui saisit brusquement la main.

— Appelle-le. Je ne vous ai pas déballé tous mes secrets pour que vous continuiez tous les deux à vous comporter comme des imbéciles. Appelle-le !

— Maman...

— Appelle ! cria Perdu. Imbécile ! Imbécile !

On frappait maintenant à la porte. Il ne pouvait donc s'agir de Beau.

— J'y réfléchirai, Maman.

Riva poussa un nouveau grognement. Un cri d'oiseau strident lui fit écho.

Nicki contint à grand-peine son excitation en allant ouvrir. Il était temps d'expliquer à Scott qu'elle était prête à affronter l'avenir avec lui. Les mots tremblaient sur ses lèvres, fin prêts à prendre leur envol...

— Monsieur Lyon !

Sur le perron de Cachette en Bayou, André Lyon avait l'air quelque peu désorienté. Il s'éclaircit la gorge.

— Vous êtes l'amie de Scott, n'est-ce pas ? Je, euh... J'ai conscience de vous déranger en me présentant ainsi au débotté, mais... J'espérais échanger quelques mots avec Mme Bechet.

Nicki scruta les traits de son visiteur.

Elle avait bien devant elle le fils de Maman. Une nouvelle fois, elle nota la similitude d'allure entre son père et cet homme, une décontraction pleine d'aisance contrebalancée par les mains fourrées dans les poches du pantalon. Elle reconnut la manière dont André roulait des épaules sous le costume, une habitude de son père quand il se trouvait confronté à une situation désagréable...

Ses cheveux se dressèrent sur sa nuque.

Elle fut tentée de lui barrer l'accès à sa grand-mère, pour la simple raison qu'il ressemblait trop à son père.

Mais André Lyon n'était en rien responsable de cela.

Elle recula donc d'un pas pour l'inviter à entrer. Tout en le précédant vers l'arrière de la maison, elle se sentit obligée de le prévenir.

— Elle a quatre-vingt-quatre ans. Elle n'était pas au mieux ces jours derniers...

André croisa son regard.

— Je comprends.

— Si elle ne veut pas vous voir...

— Je n'insisterai pas.

— Merci, dit Nicki, soulagée.

Elle lui désigna en silence la porte menant à la terrasse. Qui sait pourquoi, elle se fiait à cet homme pour traiter sa grand-mère avec des égards. Elle songea à Scott. Peut-être était-ce là un point commun entre les deux hommes, une gentillesse innée qui inspirait confiance.

Sans tarder, elle regagna son bureau, doutant de parvenir à se concentrer sur son travail. Mais elle ne fut pas plus tôt assise devant l'ordinateur que ses problèmes personnels l'assaillirent.

La liste gisait sur son clavier, où elle l'avait laissée tomber après l'avoir sortie de l'imprimante.

Quatre maisons de santé, toutes situées dans un rayon de quelques heures de trajet depuis La Nouvelle-Orléans. Toutes abritant une patiente qui pouvait être Margaret Lyon, sur la foi de certains détails tels que la date d'admission ou une analogie frappante du nom de famille.

Or, l'un de ces établissements employait aussi une aide-soignante enregistrée sous le nom de Debra B. Minor.

Nicki parcourut la liste des yeux. Elle soupesa les choix qui s'offraient à elle — et calcula aussi le courage qu'il lui faudrait.

Combien de Debra B. Minor pouvait-il exister en Amérique ? Un frisson courut sur sa peau. Il y avait de grandes chances pour que celle qui apparaissait dans les fichiers de cette maison de santé de Whispering Pines, Arkansas, fût précisément la femme qui avait donné naissance le 21 avril 1964, à La Nouvelle-Orléans, Louisiane, à une petite fille de trois kilos quarante.

Et si Debra B. Minor ne tenait pas à être retrouvée par cette petite fille qu'elle avait abandonnée ?

La balance de Nicki penchait dangereusement du côté de la lâcheté. Après tout, elle devait se confronter avec une personne, déjà. Et pas n'importe laquelle...

Elle décrocha son téléphone et composa le numéro de mémoire en retenant son souffle. Pourvu qu'il réponde ! Elle n'était pas certaine de trouver le courage de renouveler cet appel.

A la quatrième sonnerie, la voix de Scott ranima chacun des nerfs de son corps.

— Scott à l'appareil...

— C'est moi.

— Nicki.

Il prononça son prénom avec hésitation. Nicki avait espéré un accueil plus chaleureux. Mais comment lui en vouloir de réserver son jugement ?

Tu me manques. Je veux une seconde chance. Je veux autant de chances que tu pourras m'en donner pour tout arranger...

— André est ici, dit-elle à la place.

Un bref silence suivit cette annonce.

— C'est bien, commenta-t-il enfin.

Ce terrain-là était plus sûr. En toute logique, elle aurait dû se sentir apaisée... Mais son pouls n'en finissait plus d'accélérer sa course.

— Il est en train de discuter avec Maman Riva, dit-elle. Les malentendus seront bientôt dissipés.

— Je l'espère.

— Tu lui as parlé, n'est-ce pas ?

Nouveau silence.

S'impliquer dans les démêlés familiaux, c'était quelque chose que Scott évitait depuis toujours. Il le lui avait dit. De toute évidence, il avait trouvé le courage de faire une exception.

Le courage.

Nicki inspira à fond et se lança.

— Il y a une femme, dans une maison de santé, que j'aimerais aller voir avec toi.

— Où ?

— A Whispering Pines, Arkansas. L'inscription a été faite au nom de Mme Margie Paul.

— Tu crois que... ?

— Ce n'est peut-être rien. Mais quelle coïncidence, tout de même !

— Quand partons-nous ?

— Scott, je...

— Rendez-vous chez toi dans une heure.

Nicki ouvrit la bouche pour protester, mais il avait déjà raccroché.

— Je ne peux pas ! chuchota-t-elle en confidence aux quatre murs de son bureau désert.

Elle réussirait, pourtant. Elle le savait. Quand Scott lui tendrait la main, elle serait prête à lui offrir la sienne.

16.

André était assis en face de la femme qui se prétendait sa mère biologique. Il ne se sentait pas encore prêt à l'accepter. Le seul fait d'être venu jusqu'ici lui donnait le sentiment de trahir celle qu'il avait toujours appelée Mère, et qui n'était pas là pour lui donner son point de vue.

Mais André n'avait jamais été homme à fuir la réalité, même cruelle. Et si Riva Reynard Bechet lui avait en effet donné le jour, il ne tenait pas à se réveiller un matin en se reprochant d'avoir laissé filer une chance unique de la connaître. Gaby l'avait aidé à considérer la chose sous cet angle. Tout comme la photographie que lui avait remise Scott.

Etait-ce possible, à son âge, de s'apprêter à découvrir les frères et sœurs dont il avait toujours rêvé ? Cette idée, comme celle de toutes les années possiblement perdues, le poignardait.

Il considéra son interlocutrice et prononça d'une voix faible :

— Je suis prêt à vous écouter.

— Et moi, je suis prête à parler. Plus prête que jamais...

Riva ferma les yeux et se mit à se balancer sur son fauteuil. Sa voix devint si douce qu'André dut tendre l'oreille.

— Elle était très jeune, Margaret. Beaucoup plus jeune que moi. Pas seulement pour l'état civil, comprends-moi bien. Dix-huit ans et déjà mariée...

Il essaya de se figurer sa mère — Margaret — à cet âge, mais ce n'était pas facile.

— J'étais désespérée. Je n'avais aucun moyen de t'élever. Ma famille m'aurait déshéritée. A cette époque, les mentalités étaient différentes. Une mère célibataire...

Riva secoua la tête.

— Je voulais infiniment plus que cela pour toi. Je tenais à ce que tu reçoives l'éducation que tu méritais, auprès de ton père. Avec tous les privilèges, toutes les chances que lui seul pouvait t'offrir. Alors, je suis allée trouver Margaret.

Mille questions se heurtaient dans la tête d'André. Ses sentiments à l'égard de cette personne très âgée, patinée par le temps, qui prétendait l'avoir mis au monde, évoluaient au fil des secondes. Son histoire était si bouleversante... Pour peu qu'elle fût authentique... Oh ! Mon Dieu, si elle était vraie...

— J'ignore pourquoi elle a accepté, si ce n'est qu'elle avait le cœur assez grand pour accueillir le fils de l'homme qu'elle aimait, poursuivit Riva en caressant le chat endormi sur ses genoux. Nous avons fait le serment de n'en parler à personne. Ce devait être notre secret. Et celui de Paul, aussi, bien entendu...

Elle sourit.

— Même si Paul, têtu comme il l'était, a longtemps refusé d'entendre la vérité.

André fouilla ses propres souvenirs. A son retour de la guerre, son père s'était de fait absenté durant de très longs mois. Il se remémora les justifications qui avaient été avancées à l'époque…

La possibilité que cette absence ait une explication tout autre lui altéra le souffle.

— Margaret est restée fidèle à son serment, reprit Riva Bechet. Et moi, voilà que je trahis aujourd'hui ma parole.

— Pourquoi ? Pourquoi *maintenant* ?

— Peut-être à cause de ce problème avec Charles et ses fils. Peut-être à cause de Scott et Nicki… Ces deux-là s'aiment, et se retrouvent piégés au cœur de la bataille… Ou peut-être simplement à cause de Margaret. Comme elle a disparu, je… C'était sans doute égoïste de ma part, mais j'avais besoin que quelqu'un d'autre sache. Ce secret était trop lourd à emporter jusque dans ma tombe.

André dévisagea Riva Bechet, s'imprégnant du moindre détail de sa physionomie. Il essaya d'imaginer Paul Lyon en sa compagnie, mais l'image restait floue. Son père avait aimé Margaret de toutes les fibres de son être, d'un amour absolu qui ne saurait être mis en doute…

Mais quelque chose dans le récit de Riva Bechet, sa simplicité peut-être, avait convaincu André.

En réalité, sa conviction datait de l'instant où il avait posé les yeux sur la photographie.

— Racontez-moi ma naissance, dit-il.

Elle s'exécuta volontiers.

Tous les détails concordaient avec ceux que Margaret lui contait si souvent à sa demande quand il était petit. Seule avait changé l'identité de la parturiente. Comme cela devait lui coûter... Pourtant, la tendresse de Margaret n'avait jamais été prise en défaut. André en eut le cœur déchiré.

Quel enfant aurait pu recevoir plus d'amour que lui ? Materné par deux femmes...

Au moment d'achever son récit, Riva Bechet pleurait silencieusement. Sur une impulsion, André faillit se précipiter vers elle pour l'enlacer, mais il n'était pas encore prêt à s'autoriser ces gestes d'affection. Un jour prochain, peut-être.

Ils parlèrent durant trois heures. André eut conscience, à un moment donné, que quelqu'un entrait dans la maison, puis en repartait. Mais personne ne vint interrompre leur tête-à-tête sur la terrasse ombragée.

Lorsqu'il se leva pour prendre congé, Riva lui prit la main.

— Je veux que tu saches une chose très importante, dit-elle. C'est moi qui t'ai donné le jour — mais la femme qui t'a permis de devenir l'homme que tu es aujourd'hui, ta vraie mère pour toutes les choses essentielles, c'est Margaret.

André s'éclipsa très vite, de peur de fondre en larmes à son tour.

La patiente de la chambre 19 était à l'agonie.

Debra Minor avait acquis suffisamment de compétences en médecine pour le comprendre. En fait, une personne moins déterminée à vivre serait déjà morte depuis longtemps. Mais Mme Paul, même dans son état de faiblesse physique et mentale, gardait une force de volonté hors du commun.

— Voilà pourquoi j'ai le cœur brisé de vous voir si mal en point, madame Paul, chuchota-t-elle.

Elle effleura délicatement l'affreux hématome qui s'était formé à l'endroit où le cathéter pénétrait la peau trop fine de sa patiente. Elle aurait tant aimé l'effacer...

— J'enrage, si vous saviez... J'ai beau leur seriner qu'ils vous donnent trop de médicaments, personne ne daigne m'écouter dans cette maison !

Tout en parlant, Debra jeta un regard par-dessus son épaule pour s'assurer que la porte de la chambre était bien fermée.

— Je suis si inquiète, depuis que j'ai appris que ce parent devait passer vous prendre aujourd'hui... Ce M. Raymond... Il paraît que l'ordre vient d'un médecin. Mais je n'ai pas confiance. Vous aimez M. Raymond, madame Paul ?

Debra n'obtint pas de réponse. D'ailleurs elle n'en attendait pas.

— Pour ma part, je crois que non. Il veut vous transférer dans un autre établissement. Ce soir même !

La rage de Debra s'accrut à cette idée.

— Je suis bien placée pour savoir qu'il existe des cliniques plus confortables pour vous, mais... La vérité, c'est que vous n'êtes pas en état d'être transportée où que ce soit pour le moment...

L'idée lui vint subitement d'emmener Mme Paul chez elle, dans son studio, où la pauvre femme pourrait au moins mourir en paix.

Debra réfléchit quelques secondes. Il lui faudrait

retirer chacune de ces aiguilles qui torturaient Mme Paul, installer sa patiente dans le fauteuil roulant et la pousser jusqu'à la sortie donnant sur l'arrière du bâtiment. Une entreprise très risquée, sinon vouée à l'échec. Elle perdrait sans doute son travail et qui sait, elle finirait même peut-être en prison si, ou plutôt *quand,* Mme Paul décéderait...

Un instant, elle se projeta des années plus tard, se vit au même âge, seule, sans un être cher pour se soucier d'elle, et garda cette pensée bien présente à l'esprit pendant qu'elle décrochait la perfusion en murmurant à la malheureuse des paroles rassurantes. Elle se dit aussi que pour réussir, un plan s'imposait. Or, elle n'en avait pas.

C'était de la folie pure.

Dans le pire des cas, si les infirmières appelaient la police, il se trouverait quelqu'un pour accorder enfin un peu d'attention à Mme Paul. Si cela devait se produire, le jeu en vaudrait la chandelle.

Au cours de la première demi-heure du trajet vers Whispering Pines, Arkansas, Nicki et Scott étaient trop à cran pour se lancer dans de grandes discussions. Après un salut de circonstance, assez gauche, ils étaient montés dans la voiture de Scott en prenant soin de ne pas se frôler.

Nicki rêvait de se jeter à son cou. Elle brûlait d'entendre de sa bouche quelques mots simples, de nature à aplanir tous les obstacles qui se dressaient entre eux... Mais serait-ce suffisant ? Certainement pas. Et puis, des problèmes plus urgents réclamaient leur attention dans l'immédiat.

— A quoi penses-tu ? demanda-t-elle enfin.

Le silence s'étira tant qu'elle craignit un instant que Scott ne lui réponde pas.

— A tante Margaret.

Nicki hocha la tête. Elle n'avait aucune raison de se sentir aussi déçue.

— Et toi ? lui renvoya-t-il.

Devait-elle révéler ses obsessions à Scott ? Comme lui, Nicki mit un certain temps à répondre. Mais alors… Peut-être Scott avait-il lui aussi hésité entre plusieurs réponses possibles ?

— A ma mère, dit-elle enfin.

— Ta *mère* ?

— Dans cette même maison de santé, travaille une aide-soignante du nom de Debra Minor. Plus précisément Debra *B*. Minor.

Scott siffla entre ses dents.

— Eh bien !

— Cela dit, il ne s'agit peut-être pas d'elle…

— Tout de même, il y a des chances sérieuses.

— Oui, admit Nicki.

Elle se rendit compte alors qu'elle gardait les poings crispés sur ses genoux, et s'obligea à quelques exercices d'assouplissement. Ouvrir les paumes. Déployer les doigts un à un.

— Je me demande à quoi elle ressemble aujourd'hui. Si elle a les cheveux gris, si…

Elle se tut.

Scott tendit la main et prit la sienne.

— Oui, Nicki. Elle sera ravie de te voir.

— Je l'espère, dit la jeune femme en s'épongeant les yeux de sa main libre.

Il ne la lâcha pas jusqu'à la fin du trajet.

La campagne défilait sur les côtés de la route. Nicki ferma les yeux et tenta de se détendre. Mais d'autres pensées, tenaces, persistaient à tournoyer juste sous la surface, réclamant qu'on leur prête attention.

— Je pensais à toi, aussi, ajouta-t-elle soudain. Je pensais à nous.

Elle sentit sa bouche s'assécher tandis qu'elle guettait la réaction de Scott.

— C'est vrai ? demanda-t-il.

— Je pensais que… j'étais heureuse que nous soyons ensemble dans cette aventure. Et aussi que…

— Oui ? dit Scott en lui pressant la main.

— Que j'aimerais nous donner une seconde chance.

— Pourquoi ?

— Parce que je t'aime. Et que j'espère que tu m'aimes encore.

De nouveau, elle attendit. Scott n'avait pas lâché sa main. Cela devait avoir un sens, non ?

— Je ne suis pas sûr que cela suffise, déclara-t-il pour finir d'un ton las, comme à regret.

Ce bémol n'atténua en rien la sévérité de la sentence. Au même instant, ils passèrent le panneau signalant la sortie Whispering Pines. La diversion tombait à pic. Soulagée, Nicki fouilla son sac à main à la recherche du plan sur lequel elle avait inscrit des repères pour se guider.

— Regarde, dit-elle, recouvrant sa voix et ses réflexes d'enquêtrice professionnelle. Nous y sommes presque.

Prends à gauche là-bas. Dans moins de cinq kilomètres, nous trouverons Old Church Road. La maison de santé sera sur la droite.

Il suivit ses instructions. Cinq minutes plus tard, ils arrivaient en vue de l'édifice en parpaing entouré d'un parking en béton des plus sinistres, piqué de rares pins efflanqués. Scott s'arrêta derrière un autre véhicule immatriculé dans la Louisiane.

— La voiture de mon frère, marmonna-t-il avant de bondir au-dehors.

Nicki se précipita à sa suite, glacée d'effroi. Lorsqu'elle arriva devant le comptoir de l'accueil, hors d'haleine, Scott était en pleine altercation avec une femme sanglée dans un uniforme vert pâle.

— Dites-le-moi, criait-il, ou je casse tout dans cette maison ! Et je vous traîne en justice pour complicité d'enlèvement !

Son interlocutrice écarquilla les yeux.

— Eh bien, je...

Une collègue plus jeune, derrière elle, intervint.

— Chambre 19. Par ici.

Scott se rua dans la direction indiquée. Nicki le suivit, non sans avoir d'abord coulé un regard vers les badges des deux infirmières. Ni l'une ni l'autre ne se nommait Debra Minor.

Elle détailla chacune des inconnues en uniforme qu'elle croisa en chemin... Et, chaque fois, elle fit chou blanc, partagée entre soulagement et déception.

Chambre 19. C'était là. La porte était ouverte...

Nicki déboucha sur le seuil à temps pour voir Scott balancer son poing dans la figure d'un inconnu présent dans la pièce. L'homme partit en vol plané, percuta un plateau roulant métallique et s'effondra comme une masse contre le mur en se frottant la mâchoire, son élégant costume irrémédiablement froissé.

Scott recueillit délicatement dans ses bras la vieille dame toute menue qui gisait sur le lit et se mit à la bercer contre lui.

— Tante Margaret, tante Margaret, je suis là, murmura-t-il, au bord des larmes. Tout ira bien maintenant. Tiens bon, tu m'entends ? Accroche-toi !

A la vue de Scott protégeant sa tante avec tendresse, Nicki se sentit fondre. C'était l'attitude d'un homme sur qui l'on pouvait compter. Elle s'avança pour déposer un baiser furtif sur son front, puis s'assit à côté de lui, une main posée sur son épaule.

Elle ne sut s'il avait conscience de sa présence, mais cela n'avait aucune importance. Plus tard, ils se retrouveraient. Alors, elle lui dirait qu'elle l'aimait et qu'elle était prête à lui accorder sa confiance pleine et entière. Qu'elle avait enfin compris que l'amour et l'engagement formaient les deux faces d'une même pièce. Son cœur semblait soudain prêt à déborder sous ce flot d'émotions contenues depuis trop longtemps.

Tandis qu'elle était assise là, tout à la fois heureuse d'être simplement près de Scott et impatiente de lui exprimer ses sentiments, Nicki perçut un bruissement derrière elle. Elle jeta un coup d'œil par-dessus son épaule. Adossée au mur, une aide-soignante en uniforme vert pâle pleurait sans bruit, une main sur sa poitrine, près d'un nom brodé en lettres rondes, blanches et nettes.

Debra.

*
**

Il fallut un certain temps pour démêler les fils de l'histoire.

Demeurée en retrait, Nicki regarda Scott s'entretenir avec le directeur de la maison de santé, puis avec des policiers et d'autres représentants de la loi en civil. Ces derniers emmenèrent Raymond menotté dans leur voiture, croisant une ambulance qui arrivait en sens inverse toutes sirènes hurlantes.

Pendant tout ce temps, Nicki ne quitta pas Debra des yeux. Cette dernière aussi se tenait à l'écart, manifestement très agitée, son attention focalisée sur Margaret Lyon. Plus d'une fois, elle esquissa un geste inachevé vers sa patiente, un geste impulsif de propriétaire montrant qu'elle ne déléguait qu'à contrecœur à d'autres le soin de s'en occuper.

Profitant de ce que Scott s'éloignait avec sa tante vers l'ambulance, Nicki s'approcha de Debra.

— Je suis désolée pour Mme Paul… Pardon, Mme Lyon, bafouilla Debra. Que Dieu lui vienne en aide ! Je leur disais sans arrêt que quelque chose clochait. Mais personne n'écoute une aide-soignante… Je suis tellement navrée…

Elle avait un accent traînant, à l'opposé de la cadence soutenue des discours que Nicki était habituée à entendre dans les bayous. Du fin fond de sa mémoire, lui revinrent les mots de son père, associant la voix de Debra à la suavité d'un sirop de canne coulant sur un matin de janvier.

Nicki prit une profonde inspiration.

— Je m'appelle Nicolette, dit-elle. Nicolette Bechet.

Il fallut quelques secondes à Debra pour assimiler le

sens de ces paroles. Sa bouche s'ouvrit toute grande, ses yeux s'arrondirent de stupeur...

— Etes-vous... Etes-vous ma mère ?

Un sanglot secoua Debra et s'échoua sur ses lèvres.

— Nicki ? Mon bébé !

Toute la somme de sang-froid thésaurisée par Nicki avec tant de soin sa vie durant rompit ses amarres.

Les deux femmes se tombèrent dans les bras.

Scott retourna dans le hall tandis que le gyrophare de l'ambulance s'estompait dans le lointain. La tête lui tournait. Il y avait tant à faire... Il avait contacté Lyoncrest tout de suite ou presque, bien sûr. D'ici à une heure, toute la famille serait réunie dans l'hôpital vers lequel était dirigée Margaret. Scott comptait fermement s'y rendre lui aussi. Pour une fois, il avait l'intention d'intégrer le cercle de sa famille...

Il avait aussi très envie que Nicki l'accompagne.

Le souvenir le plus clair qu'il gardait des deux dernières heures était la main de Nicki se posant sur son épaule alors qu'il berçait tante Margaret, amorphe et respirant à peine, sur ce lit d'hôpital sinistre. Il n'avait plus envie de se contenir vis-à-vis d'elle. Et la tendresse de son geste prouvait que Nicki partageait ce sentiment. Impatient de la retrouver, Scott partit en courant vers la chambre 19... et s'immobilisa sur le seuil, malgré sa hâte de repartir pour l'hôpital, tant le tableau qui s'offrit à lui était touchant.

Nicki serrait dans ses bras l'aide-soignante à qui Margaret devait sans doute d'avoir la vie sauve.

Debra Minor...

Mère et fille pleuraient et bavardaient et s'embrassaient à n'en plus finir... Il détournait la tête, gagné par l'émotion, quand il sentit Nicki approcher.

Le visage de la jeune femme, strié de larmes, n'avait jamais été aussi beau.

— Oh, Scott !

La voix de Nicki se brisa.

Il la prit par la taille. Derrière elle, il aperçut sa mère. Assise au bord du lit déserté par son occupante, elle caressait Nicki d'un regard aimant et soucieux. Scott sentit les larmes perler au coin de ses yeux.

— Tout ça est trop dur à assimiler... bredouilla Nicki.

— Je sais.

— Mais tout ira bien, Scott.

— Je sais.

— Elle a une photo de moi. Dans son portefeuille. J'avais trois ans. Elle me l'a montrée...

Un espoir de petite fille faisait chanter sa voix. Scott sentit son amour pour Nicki déferler dans ses veines telle une houle charriant à la surface une palette de sentiments diffus... Du soulagement surtout, un soulagement mêlé de gratitude devant cette grâce accordée à Nicki — retrouver l'amour de sa mère. Elle en avait tellement besoin, et depuis si longtemps, comme lui-même avait besoin d'une vraie famille...

En fin de compte, ils se ressemblaient tous les deux plus qu'ils ne l'imaginaient. Des âmes sœurs, voilà.

— C'est bien, Nicki, dit-il d'une voix étranglée. Très bien.

— Elle... Elle dit qu'elle était trop jeune pour savoir

ce qu'elle faisait. Papa ressemblait tellement à son propre père... Il buvait, tu sais... Elle a pris peur. Elle pensait que papa retournerait vivre avec moi à la ferme et que ma grand-mère veillerait sur moi là-bas...

Nicki tira un mouchoir de sa poche et se tamponna les yeux.

— Oh ! Scott, elle voulait seulement faire au mieux pour moi ! Exactement comme Maman Riva avec André, à l'époque... Tu avais raison, la vie recèle beaucoup d'écueils...

— En effet.

— Mais elle a dit qu'elle m'aimait. Elle... Elle revient à Cachette en Bayou avec moi.

— C'est merveilleux, ma douce. Je suis sincèrement heureux pour toi.

Elle se blottit contre lui.

— Scott ?

— Oui, Nicki.

— Je t'aime.

— Moi aussi, je t'aime, souffla-t-il.

Elle exhala un petit soupir.

— Vraiment ?

— Comment pourrais-je ne pas t'aimer ?

— Je... Je ne me suis jamais sentie digne d'être aimée.

Dans ses yeux, le doute n'avait pas totalement disparu. Scott se pencha et baisa chaque paupière, formant le vœu de le bannir à jamais — dût-il y consacrer sa vie entière.

— Tu en es plus que digne, affirma-t-il. Je te le prouverai. Aujourd'hui, demain et chacun des jours qui suivront...

Elle sourit.

— Et ni toi ni moi ne quitterons le navire, même s'il tangue.

— Je m'y engage.

Scott toucha une boucle récalcitrante qui s'incurvait contre la joue de Nicki.

— Nous aurons les plus belles, les plus violentes, les plus spectaculaires disputes que Cachette en Bayou ait jamais connues... Mais personne ne prendra le large.

Elle éclata de rire. Il en profita pour l'embrasser.

Trente minutes plus tard, c'est ensemble, main dans la main, qu'ils franchirent les portes de l'hôpital où était réunie la famille de Scott.

Épilogue

Deux mois plus tard

Margaret Lyon puisa dans ses ultimes réserves d'énergie pour s'avancer vers le pupitre et faire face à la meute de caméras et de micros pointés dans sa direction.

Beaucoup de monde était venu assister à cette conférence de presse, afin de s'assurer *de visu*, sans doute, que la nouvelle de son retour n'était pas une fable. Contre l'avis des médecins, qui préconisaient un repos absolu pendant plusieurs semaines encore, Margaret tenait à affronter le public au plus tôt, et debout. D'un geste, elle avait rejeté les propositions de chaise roulante ou de canne, et même décliné l'offre d'André de l'escorter jusqu'à ce pupitre.

Tête haute, elle s'approcha du micro et sourit aux journalistes. Ah ! C'était délicieux d'être de retour à la maison, au cœur de l'action.

C'était délicieux d'être en vie.

— Je sais, commença-t-elle d'une voix forte, que vous

tous êtes ici aujourd'hui pour voir à quoi ressemble la vieille carne après cette épreuve.

Des rires saluèrent cet exorde.

— Eh bien, je ne me risquerai pas à commenter son allure, mais elle se sent en pleine forme !

D'autres rires s'élevèrent.

Depuis la scène même, Margaret put reconnaître ceux qu'elle aimait. André et Gaby, sa petite-fille Leslie et son mari Michael, Crystal et son époux Caleb. Il ne manquait que Charlotte, mais la grossesse de sa plus jeune petite-fille avait rendu impossible le voyage depuis San Francisco.

En revanche, Riva était présente. C'était bon d'avoir Riva auprès d'elle. Bon et juste.

— Ne comptez pas sur moi pour évoquer les juteuses histoires de famille qui vous font saliver d'avance...

A sa demande expresse, on ne lui avait rien caché de ces calomnies. Margaret s'était montrée inflexible. C'en était fini des pieux mensonges derrière lesquels il était si facile de se retrancher. Elle ne se soucierait plus de ce que le reste du monde pouvait penser de la famille Lyon.

— Je suis là aujourd'hui pour vous annoncer la création d'une nouvelle entreprise, la Fondation Lyon-Bechet.

Margaret marqua une pause. Elle se fatiguait vite. Qu'importe, dans une poignée de secondes, le témoin serait transmis à la jeune génération.

— Financée exclusivement par des fonds familiaux, la Fondation Lyon-Bechet aura pour mission de subventionner la localisation des personnes disparues.

Le murmure qui agita le public lui procura une certaine satisfaction.

— Comme vous le savez tous, nous avons quelque expérience de première main en la matière. Cette expérience, nous la devons aux deux personnes qui dirigeront la fondation, mon neveu Prescott Lyon et sa femme, Nicolette Bechet Lyon. Ils sont l'un et l'autre beaucoup plus photogéniques que moi, vous serez donc soulagés d'apprendre que je vais maintenant leur céder ma place au micro afin qu'ils répondent à vos questions.

Elle s'accorda le temps d'étreindre tour à tour Nicki et Scott qui s'approchaient du pupitre.

Ils s'étaient mariés très vite, dans la plus stricte intimité, au cours d'une petite cérémonie organisée à Lyoncrest pendant la convalescence de Margaret. Par la suite, les deux femmes avaient eu l'occasion de lier connaissance à la faveur de l'esquisse des projets pour la Fondation. De l'avis de Margaret, la douceur de caractère de Scott, qu'elle appréciait depuis longtemps, complétait à merveille l'énergie combative de Nicki. Ces deux-là se faisaient du bien l'un à l'autre et filaient le parfait amour, Margaret l'avait tout de suite remarqué ; leur bonheur faisait plaisir à voir.

Assise entre Riva et André, elle laissa son esprit vagabonder tandis que les jeunes mariés répondaient aux questions. Voilà bien longtemps qu'elle n'avait éprouvé semblable contentement. Toute sa vie ou presque, elle s'était battue pour affirmer la réussite des Lyon et consolider l'héritage promis aux générations futures. Avec succès. Mais le fruit de cette dernière crise serait le legs le plus cher à son cœur.

Car sur la scène, en ce jour capital, ne figuraient pas seulement Riva et son clan. Les fils de Charles avaient aussi leur place à ses côtés. Charles lui-même étant trop faible pour se déplacer, Jason était venu avec sa petite famille, un groupe sympathique qu'il lui tardait de connaître mieux. Alain et Raymond étaient également présents. Ah ! Ces deux-là… Pour la première fois de leur vie, sans doute, ils commençaient à accepter leur rôle dans la famille. Honteux, mortifiés, publiquement humiliés, ils avaient été abasourdis par les efforts magnanimes déployés par Margaret pour que les charges retenues contre eux soient réduites et la sentence limitée à une mise à l'épreuve. Forts de cette petite leçon, peut-être comprenaient-ils enfin le sens de ses mots fétiches.

La famille d'abord.

Et bien entendu, il y avait Debra Minor. Margaret vouait à cette femme, qui lui avait sauvé la vie, une gratitude infinie. Conviée à les rejoindre sur l'estrade, Debra avait préféré prendre place côté salle. Elle avait encore besoin de temps pour s'habituer à la famille dont elle venait d'hériter…

Margaret sourit. Tout le monde adorait Debra, qui venait de s'installer avec joie à Cachette en Bayou.

Riva se pencha vers son oreille.

— Quel dommage, murmura-t-elle, que Paul ne soit pas ici pour voir cela !

Margaret aussi pensait à Paul. En cet instant glorieux où prenait forme, enfin ! l'authentique héritage des Lyon — une famille solide et harmonieuse

— elle sentait à ses côtés la présence de l'homme qu'elle aimait.

Elle sourit à son amie, porta discrètement la main à son cœur et souffla :

— Oh ! mais Paul est ici...

Chère lectrice,

Vous nous êtes fidèle depuis longtemps?
Vous venez de faire notre connaissance?

C'est pour votre plaisir que nous avons
imaginé un rendez-vous chaque mois
avec vos auteurs préférés, vos
AUTEURS VEDETTE dans les
collections Azur et Horizon.

Les AUTEURS VEDETTE vous
donneront rendez-vous pour de
nouveaux livres vedette.

Pour les reconnaître, cherchez
l'étoile... Elle vous guidera!

Éditions Harlequin

HARLEQUIN

LE FORUM DES LECTEURS ET LECTRICES

CHERS(ES) LECTEURS ET LECTRICES,

VOUS NOUS ETES FIDÈLES DEPUIS LONGTEMPS?

VOUS VENEZ DE FAIRE NOTRE CONNAISSANCE?

SI VOUS AVEZ DES COMMENTAIRES, DES CRITIQUES À
FORMULER, DES SUGGESTIONS À OFFRIR, N'HÉSITEZ
PAS… ÉCRIVEZ-NOUS À:
     LES ENTERPRISES HARLEQUIN LTÉE.
     498 RUE ODILE
     FABREVILLE, LAVAL, QUÉBEC.
     H7R 5X1

C'EST AVEC VOS PRÉCIEUX COMMENTAIRES QUE NOUS
ALLONS POUVOIR MIEUX VOUS SERVIR.

DE PLUS, SI VOUS DÉSIREZ RECEVOIR UNE OU
PLUSIEURS DE VOS SÉRIES HARLEQUIN PRÉFÉRÉE(S)
À VOTRE DOMICILE, NE TARDEZ PAS À CONTACTER LE
SERVICE D'ABONNEMENT; EN APPELANT AU
(514) 875-4444 (RÉGION DE MONTRÉAL) OU 1-800-667-4444
(EXTÉRIEUR DE MONTRÉAL) OU TÉLÉCOPIEUR
(514) 523-4444 OU COURRIER ELECTRONIQUE:
AQCOURRIER@ABONNEMENT.QC.CA OU EN ÉCRIVANT À:
     ABONNEMENT QUÉBEC
     525 RUE LOUIS-PASTEUR
     BOUCHERVILLE, QUÉBEC
     J4B 8E7

MERCI, À L'AVANCE, DE VOTRE COOPÉRATION.

BONNE LECTURE.

HARLEQUIN.

VOTRE PASSEPORT POUR LE MONDE DE L'AMOUR.

ROUGE PASSION

De fiévreuses histoires d'amour sensuelles!

De provocantes histoires d'amour passionnées et romantiques qu'on lit d'une seule traite. Aventureuses, parfois humoristiques, et sensuelles, elles mettent en vedette des hommes et des femmes d'aujourd'hui.

ROUGE PASSION... trois nouveaux titres chaque mois.

GEN-RP-R

<u>COLLECTION HORIZON</u>

Des histoires d'amour romantiques qui vous mènent au bout du monde!

Découvrez la passion et les vives émotions qu'apportent à la Collection Horizon des auteurs de renommée internationale!

Captivantes, voire irrésistibles, ces histoires d'amour vous iront assurément droit au coeur.

Surveillez nos trois nouveaux titres chaque mois!

HARLEQUIN

**Lisez
Rouge
Passion
pour
rencontrer
L'HOMME
DU MOIS!**

Chaque mois, vous rencontrerez un homme **très sexy**
dans la série Rouge Passion.

On peut distinguer les livres L'HOMME DU MOIS
parce qu'il y a un très bel homme sur la couverture! Et
dedans, vous trouverez des histoires écrites selon le
point de vue de l'homme et de la femme.

Les livres L'HOMME DU MOIS sont écrits par les plus
célèbres auteurs de Harlequin!

**Laissez-vous tenter avec L'HOMME DU MOIS par
une histoire d'amour sensuelle et provocante.
Une histoire chaque mois disponible en août là
où les romans Harlequin sont en vente!**

RP-HOM-R

69 **L'ASTROLOGIE EN DIRECT**
TOUT AU LONG
DE L'ANNÉE.

(France métropolitaine uniquement)
Par téléphone 08.92.68.41.01
0,34 € la minute (Serveur JET MULTIMÉDIA).

Composé et édité par les
*éditions*Harlequin
Achevé d'imprimer en avril 2006

BUSSIÈRE

GROUPE CPI

à Saint-Amand-Montrond (Cher)
Dépôt légal : mai 2006
N° d'imprimeur : 60603 — N° d'éditeur : 12038

Imprimé en France